沖縄戦後世代の精神史

仲里 効

Isao Nakazato

未來社

沖縄戦後世代の精神史◆目次

沖縄戦後世代の精神史

装幀——中島 浩

I

旅する〈沖縄〉、残影のチジュヤー

夜と漂流とインプリケーション

一九七二年五月の〈事後共犯〉

中屋幸吉遺稿集『名前よ立って歩け』を知ったのは、その書が刊行（一九七二年六月三〇日）されて間もない一九七二年夏の東京だった。二六歳で自殺した青年の遺稿集ということに、なぜとはなしにうっとうしく思う気持ちもあったが、しかしその書名と副タイトルの「沖縄戦後世代の軌跡」に心騒ぐものがあり、手に入れてみた。たしかに、疼きと痛みといくぶんかのこそばゆさを伴うものであったにせよ、収録された日誌や詩や小説や評論に、沖縄の戦後世代の残傷としか呼びようがない心の内景を読み取ることができた。不遜なことを承知で言わせてもらえば、昨日までの〈われ―われ〉がそこにいた。六〇年代後半から七〇年代はじめにかけての叛乱の季節のなかに紛れ込んだ、沖縄から出郷し「在日」に迷う若きオキナワたちの漂流が、六〇年代前半の沖縄の状況との葛藤から生み落とされた言葉の傷において生きられていたのをみた、ということである。

仮にそれを経験の潜在性もしくは反復性だとすれば、では、なにが、どのような理由でそうさせるのだろうか。おそらくこういうことになるはずだ。すなわち、日本の戦後体制を決定づけたのがサンフランシスコ講和条約だとすると、その第三条によってアメリカの排他的占領に隔離された沖縄の地位の例外性にかかわっていた。第三条の「琉球条項」は国際法の怪物とも呼ばれたが、アメリカのヘゲモニーを日本が従属的に内面化することによって沖縄の分離と占領に加担していく、そのために「残存主権（潜在主権）」という概念が案出された。この沖縄に対し日本の主権を残存させるという仕組みこそ「合意」を擬制的に演出したのだ。日本はいわば、沖縄を外に排除すると同時に内に包含したのだといえるだろう。沖縄の例外状態とは、こうした〈排除—包含〉の関係が相互に代入していくメカニズムの奇妙なねじれからくるものであるが、そのことは政治・経済・社会のあり方だけではなく、人びとの生存をも拘束せずにはおれなかった。

　こうした強い縛りにもっとも敏感に反応し、その不条理をラディカルに変えていこうとしたのが、『琉大文学』の流れをくむ「ノンの思想」と、六一年に沖縄初の新左翼と言われる琉球大学マルクス主義研究会（略称「琉大マル研」）の結成を契機にして登場してきたラディカリズムだった。『名前よ立って歩け』は、沖縄の六〇年代の時代状況に深くかかわりながら、政治と文学、民族と階級、沖縄と日本／アメリカの関係を、実存的葛藤において摑み取ったドキュメントとしても読むことができるだろう。

　生き急ぎ、死に急いだ六〇年代沖縄の経験と、七〇年代の「在日」を生きる経験が「遺稿集」を通して出会う、その出会いを今なら〈連累《インプリケーション》〉という言葉にすることができる。〈連累〉とはテッサ・モーリス＝スズキによって翻案されたもので、人は過去の暴力や不正義に直接的な責任はなくとも、その暴力や不正義が「われわれ」を作ったこと、過去によって作られた制度や組織によって生かされていること、つまり、「『連累』とは、過去との直接的・間接的関連の存在と、（法律用語で言うところの）『事後共犯』の現実を認知する」ことであるとされる。だとすると、中屋の遺稿集との出会いはまた、「事後共犯」でもあったのだ。このことに注意深くあろうとするならば、過去と現在、責任と連累、というよりも、〈連累〉が一人称複数の代名詞の〝格〟を換え、その固有な位置を明示していくことを知ることになるだろう。つまり、こういうことである。「『責任』は、わたしたちが作った。しかし、『連累』は、わたしたちを作った」（引用内の傍点は原文。以下同）、それゆえに「わたしたちが住む世界で生きる死者の木霊《こだま》に対応し続けるしかない」（「不穏な墓標／『悼み』の政治学と『対抗記念碑』」、『批判的想像力のために』所収）。

ここで強調されている「わたしたちを作った」ということに注目するとき、過去の理不尽さや暴力だけではなく、それに抵抗する経験の共同性に置き直してみてもけっして不当な作為にはあたらないだろう。なぜなら歴史へのインプリケーションは行為の複数性に開かれていると思えるからである。逆流に抗した渦中に自裁した「死者の木霊」は、けっして死ぬことはない過去の声をその後の生に送り届け、「わたしたちを作った」ものへと立ち戻させる。

姪の死と「アーサームーサー」

中屋幸吉が琉球大学に入学したのは一九五九年だったが、その直後の六月三〇日に石川市（現うるま市）米軍ジェット機墜落事故が起こる。この事故は中屋を休学させるほどのダメージを与えた。パイロットが事前にパラシュートで脱出した機体が、民家をなぎ倒し宮森小学校に直撃、小学生一一人を含む一七人が死亡、重軽傷者は二一〇人にのぼった。小学生の死者のなかに中屋の姪がいた。中里友豪は事故直後、現場に駆けつけ目撃した惨状をルポルタージュ「恐怖と血の代償――石川ジェット機墜落事故の現場」にして発表した（『琉大文学』第二巻第七号、一九五九年七月六日）。死体安置室の台の上に見た光景をこう記していた。

ひとつの台を囲んで、四、五名の女が泣いている。すでに人間の皮膚の形を失くした、のっぺらぼうの肉のカタマリが黒い。形も表情もわからぬ頭を抱いて、全身を憑かれたように震わせている女。その手に抱かれた焼け落ちた顔。位置を変えた目。むくれた唇。むきだした歯。それらを塗りつぶした黒。その臭い。――それらはすでに人間の形ではない。

別のところでは「焼け跡を見る。はだかの黒い木。赤瓦の屋根はザクロ。ブリューゲルの絵のように、プスプスと空いている黒い穴。材木が白骨のように突き出ている。メチャクチャに分解し、破裂した機体やエンジンが散乱している。アーサームーサー（「めちゃくちゃ」を意味する沖縄語）」と書き止めていた。破壊の痕を覆う「黒」と「アーサームーサー」、それは凌辱された現実の直喩だったが、アメリカ占領下の沖縄の不条理の換喩にもなっていた。

中里があえて沖縄の言葉を使って惨状を言い当てた意味がわかるというものだが、その「アーサームーサー」はまたルポルタージュの細部を特徴づけてもいた。そして事故現場で「めがねの男」が語った「彼にはパラシュートがあった。子供たちにはパラシュートはなかった」という一節を、象徴の力にして占領の不条理に迫り、「われわれには、パラシュートはない！」と締めくくっていた。この結語が何を意味しているのかは明らかである。すなわち、アメリカ兵には死から脱出する自由があること、だがその自由によって多くの死者が生産し続けられたこと、この圧倒的な非対称性に沖縄の現実をみていた。「アーサームーサー」は事故の細部への眼差しであり、構造への注視でもあった。無視してはならないのは冒頭の「モノローグ」に置かれていた「三面記事では、決してない。明らかに民族の歴史への挑戦である」という一行である。なぜなら、この〈民族〉こそ五〇年から六〇年代の沖縄が日琉同祖論のコンテキストで発見し、救いを求めた幻想の共同性であり、沖縄自らを自縛したドグマにもなったからである。

中屋幸吉もまた〈民族〉が前景化していくときの内発を「姪の死（小説『茂都子』より）」を書いて、あの事故が与えた衝撃と沖縄を圧する暴力を見据えていた。

足がない、ない。足が消えてない。手は、手は、それもない。手首から先が、消えて失せている。男かな、否、女だ。あ、性器がない、なにもないのだ。あ、目、目の中は、焼けた砂が一杯つまっている。焼け崩れた鼻、そこも一杯の砂だ。臓腑は、臓腑は大丈夫だろうか。あ、ない、ない、臓腑がからっぽだ。

〝ない〟という否定語を重ね、惨状の細部が凝視される。「深い傷痕《しこり》」となり、「思想の転機」にもなった、と強い言葉を使ったわけが納得できるというものだ。そしてここから「外部にあるものが、自己に及ぼす、力の強さ」と、沖縄の現実に「民族の問題が暗いとばりをおろしており、帝国権力が、根深くとぐろを巻いて居座っている」という認識を導き出していく。中屋幸吉の小説と中里友豪のルポルタージュが直視したものこそ「民族の問題」にほかならない。

ここで迂回することになるが、「民族の問題」を探訪する前に、「外部にあるものが、自己に及ぼす、力の強さ」について考えておきたい。そのための理解を援けてくれるのが、一九六二年三月七日の『琉球新報』に中屋が発表した掌編「汚れた魂」である。沖縄の風景を侵犯する〈外部の力〉を以下の要旨で叙述してみせる。

アルバイト教師の「ぼく」は中学一年の二人の生徒と連れだって海に行く途中、金網でしきられたビーチである出来事に出くわす。金網のむこうのアメリカ人専用のビーチでは、テニスやソフトボールなどで戯れたり海を楽しむ、眩しすぎる光景があった。テントのなかには食べ物や飲み物があふれていた。

と、ひときわかん高い声が飛び込んでくる。「ビーチのかな網をオリのなかのさるがするように、しつようにゆすぶりながら叫んでいる四、五人のこどもたち」である。横かぶりにした帽子、何日も着込んで黒く汚れたランニング、そして裸足。小さな餓鬼どもは、金網のなかのテントにむかって「スイカ、ワンニンカマヒャー（俺にもスイカをくれよー）」とか「ヨー、そこのワタブー（出ッ腹）よ、俺にもくれョー。よ、よう」としきりにねだる。「ワタブー」と呼ばれた男が「ニヤッ」と笑ってとった行動と、その後の子どもたちの反応は、こうなっている。

その男は、檻の中の動物でもみるような好奇な眼をして、子どもらに近づいていくと、二つにわったスイカの片方を投げつけた。スイカの落ちた草むらに殺到し、「ワームンドー」と口々に叫び、奪い合う子どもたちと「手を叩き、胴をゆすぶり、赤ら顔をめちゃくちゃにゆがませ、おもしろがった」男。いたたまれなくなって、その場を離れた「ぼく」は「怒りとも羞恥ともつかない、息苦しい気持ちになって、体の震えがとまらなかった」と。ここはこの掌編の勘所にあたるが、「ぼく」がそこに視た光景は、ジェット機事故で凌辱された死の影絵のようにも思える。

別な視角からみてみよう。フィクションと現実の違いはあれ、二つの出来事から見えてくるのは、サンフランシスコ講和条約第三条という国際法を宙づりにすることによって作り出された奇妙な〝例外状態〟が、子供たちの身体を通過していくときの双面だとみなしてもよい。一方は不意を突くように侵入し「アーサームーサー」に変えていく暴力として、もう一方は偽善と悪意が混入された抑圧的寛容として。占領は関係を倒立させる。「檻の中の動物」はあくまでも沖縄である。「ぼく」の〈震え〉はそうした倒立した檻を見てしまったことからくることはまちがいない。

金網の内と外、軍事植民地の接触領域が出現させる光景はありふれているにしても、この掌編は、小説「姪の死」で覚知した〈外部の力〉の暴力性が意識されていて、中里友豪のルポルタージュのなかで「メガネの男」が断言する「私たちにはパラシュートがない」という命題によって提示した非対称性と構造を同じくするものだった。中里のルポルタージュ「恐怖と血の代償」と中屋の小説「姪の死」が呼び寄せた「民族の歴史」や「民族の問題」は、掌編「汚れた魂」の「ぼく」に訪れた「怒りとも羞恥ともつかない、息苦しい気持ち」や「体の震え」とけっして無関係ではないだろう。

〈民族〉と〈階級〉の代入と止揚

中里と中屋が石川米軍ジェット機事件から導き出した〈民族〉は、では、どのように理解されなければならないのだろうか。明らかなことは、日本と沖縄は同一民族であるという認識が前提にあり、二つに分断されていることに問題の所在をみていたことである。二つに引き裂かれているがゆえに〈一〉なるものが渇望される。日本復帰運動はその〈一〉なる想像の共同体へと合一していくことで米軍支配から解放されると幻想したナショナリズムだといえよう。しかし、これは国家併合のロジックへの視点を欠いていた。そのゆえに、日本は親に、沖縄は子に擬せられ、アメリカという「異民族支配」からの脱却の願望がより強く「祖国」を幻想していく力学が働き、日本への復帰運動は反米民族主義の性格を色濃く帯びていった。

中屋が問題にした〈民族〉もそうした力学の内部を出るものではなかった。琉球大学を休学し、発行したガリ版刷りのサークル誌『くずてつ』の発刊宣言（第一号～第三号、いずれも一九六〇年発行）は、日本復帰を求める根拠への自覚の必要性を説いていた。「民族意識なき民族」は存在を不可能にするとまで述べ、民族対立の不可避性に「文学」を介在させていく。この「文学」は、第二号では「精神的護岸」になり、第三号では外部圧力に対して打ち立てられるべき「抵抗の杭」の可能性としての役割が割り振られていった。「文学的武器」とも言っていた。『くずてつ』の発刊宣言からは〈民族〉と〈文学〉への関心が中屋の内部でせり上がっていくことが読み取れる。六一年四月二八日の日誌には「かあちゃん――／とおちゃん！／沖縄の孤児は／祖国の親の愛を求めて／訴え／叫びます」と、中屋にしては無防備すぎるとしか思えない心情が吐露されている。中屋もまた時代の申し子であった、ということだが、しかし文学と死への偏愛に似た傾き、小説「姪の死」の〈ない〉や掌編「汚れた魂」の〈震え〉は、〈一〉なるイデオロギーにそのまま収まるほど平板ではなかった。

日本復帰運動へと接合されていった〈民族〉は、その後批判的に相対化され、二つの回路をとって分流していく。ひとつは、最初の休学から復学してまもなく新聞会への加入と琉大マル研と行動をともにする流れである。六〇年安保闘争とそれを領導したブントの実践の衝撃から生まれた琉大マル研と新聞会の影響下に、『くずてつ』の発刊宣言で掲げた〈民族〉は止揚されるべき対象となっていく。それを可能にしたのが〈階級〉の発見である。この〈民族〉から〈階級〉への転回は、「危機に直面する久米島闘争」（『琉球大学学生新聞会』、一九六二年一一・七号）や「論説　四・二八闘争は民族主義で闘われていいのか」（『琉球大学学生新聞会』、一九六五年四・二六号）に表われる。「反米民族主義」を批判する「階級的連帯」が打ち出されていく。

いまひとつは、琉球大学学生会の代表として派遣された本土体験に起因する変化である。六二年七月から九月までの四〇日間暮らしたときに書かれた「上京日誌」は、全学連や早稲田大学新聞会との交流と討論、南灯寮や沖映寮で生活する沖縄出身の友人を訪ねたり何時間でも粘れる喫茶店に妙に感心するなど、東京に驚き、東京のなかの沖縄を懐かしみ、やがて東京に失望していく心境がつづられていた。なかでも印象深かったのは、貧しさゆえに妹とアパートで暮らす同郷の友人と夜通し「復帰論」を交わしたというところである。この「日誌」には具体的な内容について明らかにされてはないが、「復帰論」についての記述が複数回見られる。沖縄の六〇年代世代にとって、「復帰」は賛否を問わず避けては通れない問題であった、ということがわかる。

〈オキナワ〉と〈ボク〉の重層的決定

「上京日誌」が際立つのは、東京に疎外の極みを見たことや本土幻想が剝がれたこと、そして中屋の内部に芽吹いてくる〈オキナワ的〉なるものの鳴動が書き込まれていたところである。最後の日付（一九六二年九月一〇日）をもつ、鹿児島から沖縄に帰還する船上の独白は、「常に死の意識の底にうごめいたものは、沖縄であった」という印象的な言葉を導入にして、それまで吹き溜まった塊が加熱され、その臨界点で発話のドアが開かれていくように「日本人というには、あまりにもオキナワ的なボク」

から、「オキナワ的思惟方法。オキナワ的現実意識。オキナワ的存在形態とその把握」へとうねり、〈オキナワ的〉なるものが内部から隆起していく様相が綴られている。

沖縄をカタカナの〈オキナワ〉にし、接尾辞の「的」で繋ぐことによって〈一〉なるものへの同一化を拒み、いくつもの〈あいだ〉を招き入れるのだ。ここにきて、東京で友人たちと交わした「復帰論」は「復帰論批判」であったことがわかってくる。日本復帰運動が閉じ込めていた「影の沖縄」が韻を含み流れ出し、問いに問いを重ね、〈ボク〉と〈私〉に働きかけながら意識の次元を渡っていく言葉の波動は、何度でも振り返っておくべきだろう。

そうだ、ボクは、あまりにもオキナワ的すぎるようだ。／ボクにとって、オキナワは、自分の影である。／現実的には私の精神的表現であるオキナワ、私の故郷オキナワ。私がオキナワでなくなったとき、私は、何になるか。／日本人か、国籍不明（正体不明）か。／私の生みの親であり、もう一つの私であるオキナワ。／私からオキナワがなくなる時があるか。／私は、世界人であるべきであり、オキナワ人であっては、いけないか。世界をオキナワからみてはいけないか。世界の内部にオキナワがあるとして……。

この独白から言えることは、沖縄と日本の同一性を前提にした〈民族〉のアウラが剝落し、複数の地の貌と声となって現われ出たということである。まるで産まれたての声のように、未明の薄闇に目覚め、つぶやき、自問し、やがて〈ボク〉と〈オキナワ〉がゆらめきのぼって相互に根拠を探っていくように。〈ボク〉という一人称単数がいくつもの〈オキナワ〉と出会い、対話し、ときには投影されてもいくが、しかしその出会いや対話や投影から確たる答えが得られるわけではなく、そのような自分に戸惑い、訝しがり、立ち暮れているようにさえ思えるところがある。いや、そういうことではない。問いそのものにおいて力となっていくような、そんなコンディションのことを指しているように思える。ここでの片仮名の〈オキナワ〉は、流通する既成の像や定型への還元を脱ぎ捨て、未知と複数性に開かれてあること、還りゆくことと越えていくこと、私と他なるもの、ナショナルなものとトランスナショナルなものが出会い直すはじまりの審級としかいいようがないある次元のこと、そう、まぎれもない「わたしたちを作った」、あの〈連累〉であることに思い至る。繁茂し、叛乱する〈オキナワ的〉なるものは、六一年四月二八日の「祖国復帰記念沖縄県民大会」で書かれた、日誌の言葉とは明らかに異なる場所に抜け出たことになる。立ち止まって考えてみたいのは、「現実的」の前に「自分の影」としたところである〈影〉とは、実体ではないがしかし、「自分」を在らしめる潜勢力のようなものである。そのゆえに「現実的」という繋辞が与えられた「精神的表現」「故郷」「生みの親」「もう一つの私」などの複数の〈オキナワ〉はまた、〈民族〉と〈階級〉へと分かれていくイデオロギー的回路を不断に括弧に括り、異化し続けもするだろう。

〈オキナワ〉が、〈階級〉から再び〈民族〉へターンしていくことはもはやない。もっと別の説明装置が必要とされるし、〈民族〉から〈階級〉への代入とは違う曲率と回路がある。しかし〈民族〉から〈階級〉へは、たとえば六五年一月三日に書かれた「コトバがみつかった」のなかの「うるさいぞ！／矛盾のツブツブに／ブツブツ言うな／小さな矛盾も／階級矛盾へ／四捨五入するんだ——」のように、イデオロギッシュな強引さを帯びて明確な移行の線を描いているわけではない。これまでみてきた〈オキナワ〉は〈民族〉にも〈階級〉にも四捨五入することができない残余として感じとられているところがある。不定形の矛盾を生命にした、実体には還元されない「影」のように、接尾辞「的」によって〈あいだ〉を遊撃的に繋ぐ関係意識のようなもの、だといえよう。それとも「あまりにもオキナワ的なボク」に、F・ファノンが民族主義と民族意識を峻別し、民族主義ではない「民族意識の内奥にこそ、インターナショナルな意識が高まりゆき、活気づいてゆくのだ。そしてこの二重の噴出こそ、つまるところはあらゆる文化の源にほかならない」（「民族文化について」）とした〈二重の噴出〉のヴァリアントをみるべきだろうか。

「政治」からの失墜と擬制の終焉

ポリフォニックに波紋を描きながら重層的に決定された〈オキナワ〉は、しかしその後、中屋において深められたわけではなかった。むしろ「四捨五入するんだ――」という、いくぶん自嘲を混入した物言いだったにしても「階級矛盾」の視点から沖縄の現実へと参入していく。言葉を換えて言い直すと、〈オキナワ的〉なるものは、四捨五入していく方法の間隙に封印されたということである。

二度目の休学からの復学を目前にして書かれた「東京オリンピック聖火の沖縄入りに現象した沖縄人の復帰意識について」（一九六四年九月一一日）は、「復帰意識」の歴史構造的分析の試みとして位置づけることができるだろう。テレビで中継される東京オリンピックの聖火の沖縄入りに「精神までふるいおとしかねない」歓迎の群れを見て、その背後の歴史と構造へと向かい、貧困で資源の乏しい孤島としての沖縄民衆の「属領意識」についてメスを入れる。貧しさと孤島ゆえに他力と物乞いと寄生は習性化していく。中国から日本へ、復帰運動は「沖縄人の伝統的な生活本能（寄生本能）↓属領意識の今日的な運動的表現にすぎない」と見なされ、「復帰思想、復帰論の原形をなすいわゆる復帰意識」がどのように形成されてきたのかを考察することの重要性を説き、復帰運動のなかに大衆の祈りに似た願いがあったにしても、その運動によっては実現の可能性は約束されないと指摘する。最後は「もっと深い内容をもった別の、新たな運動が一日も早く、生まれんことを！」と結んでいた。

だが、とあらためて思う。この論考をもってしても「上京日誌」の最後の言葉たちの潜勢力は解き明かされたわけではない。深さと新しさを孕んだ思想と実践は、未完のまま据え置かれたいくつもの〈オキナワ〉の自立的根拠を探り当てていくことによってしかできないだろう。

六〇年代沖縄の可能と不可能性を、生き急ぎ、死に急いだ中屋幸吉においては、「運動」の渦中に身を投じることは避けようもなく詩と死への傾きを自覚させられることでもあった。その逆説的なありようは、「政治と文学」として問題化された境位への必死の応戦でもあったが、決定的な「転機」となった姪の無残な死によって二重の意味を負わされた。沖縄に覆いかぶさる外部の力との抗いが中屋をして「運動」と「政治」へと駆りたてていったにしても、そこが居場所となるほど実存的不安は浅くはなかった。「政治」への牽引と離反の狭間で揺れる日誌《深みゆく喪失の季節》（六四・二〜九）や《政治はまだない》（六四・一〇〜六六・四）と詩のコトバは「政治」に悩み、時代の夜を漂流した心象の地図にもなっている。

中屋は「日記活動」について「状況告白の物質的表現」と述べていたが、残された言葉はむしろ「告発」や「活動」を裏切って、状況からの失墜と内面の襞へと下降していく意識の震えを伝えている。たとえば、「うんどうの中で／ボクは盲いたまま／自分の発見もなく／固いシコリは／にがくもなくあまくもなく」（「お前は何をしているのだ」一九六五年六月一日）とか、「どうしたのだろう。政治に関わろうとするぼくらの運動は、苦しげに自壊していくのに、みろ、今日の一部の文学だけが、輝かしくキラメキながら政治をはぐくんでいくよ！／運動の落日に我身を焦きながら、我は政治のみらいを嗅ごうとせん」（二〇月二九日の日記）というように。

詩のコトバもまた例外ではない。「物質的表現」を脱落させ、精神の領域に翳っていくようだ。「小さい／かすかな／ざわめきだけだ／「政治」はまだない／垂直にたれた／暗い闇の底にもぐり／つきあたった地点に照明をあて／汗だくになって探索したのだが／今の所／「政治」は、どこにもないようだ／「内」にも「外」にも」（「『政治』はまだない」）や「ボクのコトバは政治にならない／政治からずり落ちて／尻もちをついたボクのコトバ」（「疲れたバスの中で」）など、内向し内攻する言葉が散りばめられている。一九六四年四月九日の日付と「『四・二八大会』の中で」のメモがある詩「深みゆく喪失の季節」には「男は語った／——もう、何もかも終わりではないですか？／ここには政治はなく／みんな擬制なんだ」という数行が目をひく。これは「もっと深い内容をもった別の、新たな運動」からの照り返しとみなしてもよいだろう。たしかに「擬制」の二文字は、復帰運動の民族主義へ向けられているし、翌六五年四月二六日号の「琉球大学学生新聞」に載せた「論説　四・二八闘争は民族主義で闘われていいのか」のなかの「反米民族主義の祭典」と化した日本復帰運動に対する批判と確実に対応しているのはまちがいない。だが、それよりも「擬制」の二文字は、中屋の詩や日誌のコトバからみれば、政治的なるものへ囲い込まれることを拒む実存の不安や不遇感からいわれているように思える。

「詩」と「死」、「さよなら」の思想

風は吹かず
革命はずっとおく、とおく
部屋の中での
しめりけな騒音だけだ
ふかく傷ついているワケでもないのに
その一人前ふうな
叫び声は
穏やかな季節さえひどくテレさせる

ボクたちの運動の中で

無慈悲に絞殺され
こっそり闇の中に葬られた
無数の運動たち

棺桶をもたない屍が
デモの周辺に残骸をさらし
悪臭に
ボクたちの運動がつまづく日々

「沈黙の底辺から」という題名をもつこの詩は、擬制の政治への冷笑と疎隔感、運動が抱えた闇と政治のなかの死など、挫折に翳っていく六〇年代沖縄のラディカリズムの心的位相が定着されているように思える。

中屋の日誌と詩の多くは、死をめぐる断想としても読めるだろう。直接的に死について触れたものも少なくない。日誌《深みゆく喪失の季節》のはじめで「私の顔の／眼窩は／小さな真実を含んでいるが／眼フチに漂う／抒情によって／さえぎられ／死にゆく真実」と書いた「自画像」、二月二七日の日付をもつ「幻視」（一）から（三）に示された「反世界」、自殺が未遂に終わったことの心象に分け入った「日常の風景」（三月二日）、死を問題の出発だとする「雑記帳」（五月三〇日）、太宰治の自殺について「人生の敗北」だとみなす河上徹太郎へ反論し、「死を決意するとき、それは現代の死んだような生から決別しようとの決意そのものである」と書き止めた「河上徹太郎へ」（九月一五日）、「し」にむかって無名の長距離ランナーとありたいと願うが、「し」と「反し」、「詩は死であるか。死は、到達であるか。／到達は詩であり、また死なり、か」と、詩と死、死と詩の間で揺れる「日誌」（六六年四月一二日）、また「詩集」のなかの「逆説の歌」（63・9・12）や「一つの終焉」（66・1・6）、そして最後に置かれた「死」など、死への偏流は中屋の詩と政治のエチカにもなっている。「し」という音韻に、「死」と「詩」が含み持たされ、その相互牽引と揺れが中屋の表出を特徴づけている。『名前よ立って歩け』の最初に置かれた同名の詩のなかで、「私のすがたを残したまま／名前が後へ後へと流れてゆく／名前は／さよならと言っている」と書いた、名前と現身が乖離し漂流していく「さよなら」の心象は、中屋の言葉の風景の原像をなすものであった。すでにして詩は死であり、死は詩であることが予感されていた。

そして「詩」と「死」が交差し合う言葉のオトを音のコトバに採譜したのが高橋悠治であった。CD『高橋悠治の肖像』には、「名前よ立って歩け」と「最後のノート」が収録されている（うた：波多野睦美、ヴァイオリン：漆原啓子、ピアノ：高橋悠治）。いずれも高橋が一九八一年に曲をつけたものであるが、どこかへ向かって抜けていく声音が透明な傷を残光のように運んでいく。琉旋法を取り入れた「名前よ立って歩け」は孤影に暮れていくようであり、「最後のノート」では雨だれを打つようなピアノが、ときにひそやかに、ときに激しく、生と死の境界を回り込んでいくようでもある。

沖縄の六〇年世代の夜と漂流から生まれたひと筋の航跡——中屋幸吉が残した断片の力は、〈民族〉の発見から〈階級〉へ、だが〈階級〉へと四捨五入できない残余としての〈オキナワ〉を時代の底深く沈めた。政治の季節に「さよなら」を告げ、沈黙の森のなかに身を投げた中屋幸吉という名の沖縄の戦後精神に、たしかに私は〈オキナワ零年〉を視た。〈零度のコトバ〉を聴いた。「わたしたちを作っている」〈連累〉としての「影の沖縄」を、今に木霊させ続けるだろう。

未葬のオブセッション

なぜそうなるかはわからないが、自分が生きていく局面で転機にぶつかったとき浮かび上がってくる光景がある、と友利雅人は「思想の不在、不在の思想」(『新沖縄文学』五九号、一九八四年)の冒頭に記していた。その光景とは、幼少のころ宮古島の東の端に近い小さな村で見た葬列である、という。

村には若い女が胸を病み薄暗い部屋に臥せっていた。ある日女は死んだ。その夜、村の木々には鴉の群れがどこからともなく集まってきて、鳴き騒いでいた。翌日、村はずれの森のなかの龕屋から朱塗りの龕が運ばれ、粗末な棺が乗せられた。動き始めた葬列は隣部落との境にある墓地に向かった。道の両側の木々の上を飛び移る鴉の群れが葬列を追っていた。それが何を意味していたのかを知ったのは、祖父の墓参りのときだった、という。丘の斜面に掘られたちっぽけな横穴は、棺など入る大きさではなかったのだ。幼い友利が怖れ、心を騒がせた若い女の死と葬列と鴉の群れ。道は白く光り、陽は高かった、鮮烈だが遠い記憶のなかの風景は、友利のその後の時間をゆらし続けた。

もうひとつ、このエッセイのなかで目を引くのは祖母の存在である。怒った顔を見せたことがなく、言葉はゆったりと響き、人に話すときと同じように牛や馬や犬にむかって話しかけた、と印象深く振り返っていた。「そのことに深い意味が隠されていると考えるようになったのは、ずっと後になってからである」と追想した祖母は、友利にとって特別な存在だったようだ。生活に追いまくられ、沖縄本島に出稼ぎに出ていたことから父母の存在を知るのはずいぶん時が経ってからであっただけに、やわらかい磁気のように友利の〈少年〉に語りかけてくる。

なぜ幼少期の記憶が人生の転機にぶつかったとき訪れてくるのだろうか。おそらく、と思う。島の東端の貧しい村での人の生き死にが、自然の循環を摂理にすることによって成り立っている共同体の黙契と、祖母のパロールにおいて生きられている無償の営みが潜勢力となっているということだろう。島と幼少期と祖母の存在は、友利雅人の批評の母音のようなものになっていた。それはまた沖縄の戦後世代の一人として、のちに心血を注いで格闘した国家とそのイデオロギーを考える原点にもなっていた。

この「病める沖縄」を特集した雑誌に寄せたエッセイは、〈言葉はゴミと化し、すべての詩は粉砕された〉をエピグラフにしていたことからもわかるように、沖縄の状況への苛烈なアイロニーの風が吹き荒れていた。「沖縄という象徴が風化しつつあるという状況認識は正しいか。それが擬制でなく成り立っていた時代をわたしたちが手にしたことはかつてなかった」と問いつつ下した断言や「現在の状況のなかで、われわれの間には一本の細い糸さえ存在しない」と見切った、一九八四年、「日本復帰」という名の併合後一二年目の沖縄への暗澹たる思いが連ねられているだけに、いっそう宮古島の光と風の韻律とともにあった幼少期の記憶は友利の〈いま〉に呼びかけた。回想のなかの〈若い女の死〉と〈少年〉と〈島〉は、文中に挟んだ「鮮明なる未来像は必ず背後からやって来る」という銘句へと接合されるとき、「思想の不在」と「不在の思想」が炙り出される。そしてその向こうには、共同体の掟の波打ち際に佇みひたすらに無名と無償を生きる「祖母」がいた。

「ぎりぎり」の造型、〈否〉を立てること

この祖母の存在こそ、友利雅人が早稲田大学在学中に大城立裕の戯曲『神島』を観て書いた「祝女の言葉——戯曲『神島』の原点」にこだましているものである。「祝女」と書いて「ノロ」と読む。戯曲『神島』は、慶良間列島の渡嘉敷島で起こった集団自決とその傷をあいまいにして戦後を生きる島民の生き方や、「心の二七度線」に象徴させた沖縄と「本土」の溝、戦争責任と日本復帰、戦中世代と戦後世代の葛藤などが錯綜する討論劇である。ここではノロであるヤエの言葉になぜ友利が注目したのか、そしてその言葉を介して何を問題にしたのかということと、友利が書くことはなかったヤエと戦後世代の未発の関係について考えてみたい。

ヤエはノロでありながら、戦争中入ってはいけない大嶽の拝所《おがんじょ》に家族で避難し、その後、島民そして兵隊が入り込んだことによって「神を汚した」ことを恥じ入り、罪を償うために島の慰霊祭に背を向け、日本兵に殺害されたらしい夫の遺骨を一五年も探し続けている。ヤエの言葉が底光りするところは、島から脱出するように東京の大学に進学し、大学闘争の渦中に知り合い結婚したが、交通事故で亡くなった息子の遺骨を返すため島にやってきたヤマト嫁の芳枝との間で、戦争とその責任をめ

ぐって対立する場面である。汚された神の棲む大嶽の拝所のなかで交わされるだけに、より象徴性を帯びていた。友利はこのときのヤエの言葉に『神島』が書かれた深い理由をみていた。

戦争で殺されたのはみな「同じ人間」だと割り切り、「このお骨たちのどれがヤマトンチュで、どれが沖縄ンチュか、お母さん証明できる？」と問詰し「お母さんだって、神さまを汚したんじゃない。戦争を憎むだけでいい」とか「死んだ人間に罪をきせて、どうなるのよ。意味ないじゃない」と言い張る芳枝。現実主義的で合理主義的な考えである。これに対し、「戦争のせいといっても、戦争は人間でないでないか。責任もたされるか。戦争した人間が責任もたんといかんではないか。戦争で死んだ者も、戦争したんでないか。死んだら罪がなくなるてもあるか」「死んだ者に責任もたせなくていいのなら、生きてる者も責任もたないですむでないか」と言い返すヤエ。反知性的で非機能主義的な態度とコトバである。この芳枝とヤエの諍いは、一見すると理と情、知と憑依、日常と超越、効率と停滞、近代と島共同体、そしてヤマトゥとウチナーの対立のようにもみえるし、事実そう擬せられたところもある。だが、考えてみよう。ヤエの強いこだわりと理路には収まり切れない発話と行為が、沖縄戦の、集団自決の、受苦の経験の闇の奥に出自をもっているとすれば。ヤエはまぎれもない、〈非-知〉として、ただ説明不可能性において生を成り立たせる存在だとすれば。だからだろう二人の諍いの極みで「それでは、死んだ人にどう責任をもたせたらいいのよ」と迫る芳枝に、確たる返答ができずヤエは口ごもってしまう以外ないのだ。

この口ごもりは何だろう。語りがたきことを語ろうとして語りえず、言葉を呑み込む吃音性のようなもの、と言えば言えようか。その語りがたさとは、戦争の責任を可能と不可能が交差する場で、しかも死者と生者を隔てなく問おうとしていることとどうやら関係しているようだ。死んだ者も責任の場に出頭させるヤエの意表を突く言葉の力は、不可能性を帯びているがゆえに、極限の問いとなって島の慰霊祭に背を向け一五年ものあいだ夫の遺骨を探し続ける理由にとどまらず、島共同体の存立をそれこそ不安にする。

問題にすべきなのは、そのことによって何が視えてくるのかであり、沖縄戦の矛盾が凝縮された渡嘉敷島の集団自決の暗部の独自性である。一個の手榴弾に親しい者が折り重なり自爆する。死ねないものは親が子を、兄が弟妹を、剃刀で頸部を切ったり、鍬や鎌などで頭を殴打し、四〇〇人近くの死者を出したこと、住民がスパイ視され惨殺されたり慰安婦や軍夫として徴用された朝鮮人と島民の軋轢、しかし日本兵はほぼ全員投降して戦後を生き延びたことなどの出来事の集積が拒みようもない難問となって敗戦後に残された生の時間に影を落としている。ノロであるヤエの合理を逸脱した問いや口ごもりはそれらが複合された悲惨を負っているゆえに、日常にうまく帰還することができず修羅場となったガマの闇を住み処にした精神の孤島のような生存の光景である。

それにしても、死者に責任を負わせることはできるだろうか？　不可能である。だが、取り返しのつかないことを取り返すこととはあえて通念を転倒させ、戦争責任と慰霊のあり方をも組み換えることではないか。「島にはもう戦争なんかなくなったような顔して、みんな安心しきっているが、戦争なんか終わっちゃいないのだよ。うちの父ちゃんの骨《こつ》や霊《たましい》も帰ってきはしないし、このお骨たちも浮かばれてないじゃないか」というヤエのつぶやきは、島の戦後ならぬ戦後と死後の生について遠くまで考え抜くことを促してやまない。

ヤエの言動から二つのことを導き出す。友利は言う、いや読み換える。

死者に痛みはない、と言いきる者はそれによって生者の痛みから眼をそらしてしまったのだ。祝女は死者に「罪をきせ」ようとしたのではない。彼女は死者の痛みを、喪われた神をなかだちとして共有しつづけてきたのである。彼女は戦争によって神を汚した夫を失った。そのことによって生涯消えることのない傷を負ったが、その痛みをみつづけながら一五年間も遺骨をさがしつづけている。ひとはそこに生の原像とでも言うものを見い出さないだろうか。

わたしたちは本土の人間を加害者として対象化していくことのみによっては、こういった問題の本質的＝現実的な解決へたどりつくことはできない。その道は沖縄の人間をも、「もの言わぬ被害者」として対象化していくという二重の告発によってのみひらかれてくる。

前者は、友利が戯曲『神島』が書かれたもっとも深い動機が隠されていると注目した、先に紹介したヤエとヤマト嫁の芳枝との間で交わされた戦争とその責任をめぐる息詰まるようなやり取りについての友利のコメントである。

後者は「加害者として対象化されるべき主体」をめぐって「心の二七度線」を持ち出して加害と被害のステレオタイプな理解と連帯を説く「政治的文学青年」に対する批判としていわれている。ここでの「対象化」と「二重の告発」こそ、友利の批評のポイントとみなすべきだろう。これは他でもない、語り難きを語ろうとして口ごもるヤエの、それこそ発話ならざる発話に辿り着くための通路を開く、沖縄戦後世代の批評的根拠にもかかわってくるはずである。加害―被害の図式から抜け出ていくためには、戦後世代の世代的根拠と固有な視座を編み出していくことになるだろう。「住民を集団自決という出口のない状況へ追い込んだのは日本軍であったとしても、それをぎりぎりのところで受け容れてしまった」という認識を梃子にして、それでも「たとえ『非国民』という、当時として耐えがたい侮辱を受けようとも、その自決の命令に〈否〉というべき」であり、「ぎりぎりのところでこそ〈生〉を択ぶべき」だと追言する。戦争を知らない世代の「甘いかもしれないかんがえ」であると但し書きつつも、仮構を叩いて「ぎりぎり」を造型し、戦後世代の倫理と思想を書き込もうとしたのだ。

〈ふたつ〉のあらわれの〈ひとつ〉の根

この「ぎりぎり」での〈否〉と〈生〉の択び取りは、ほどなくして、集団自決の修羅に分け入り、共同体の生理と意識を探り当てた岡本恵徳の「水平軸の発想――沖縄の『共同体意識』」（『叢書わが沖縄』第六巻『沖縄の思想』、木耳社）によって試されることになった。友利雅人の論考は六九年五月発行の『新沖縄文学』の特集「『神島』の内包する問題」に寄せたものだが、岡本のそれは翌七〇年の一一月である。岡本は集団自決という己と己の肉身へ暴力を内攻させ、極限までいった渡嘉敷島の戦争に、沖縄の悲惨と沖縄戦で示した意識と行為が集約的に現われているとして、「再び同様な条件に置かれるならば、わたし自身が起こすかも知れぬ悲惨である」こと、そしてその「怖れを発条とする」ことで対象化しようとする。この識見に岡本の思想のオリジナリティを読みとってもよい。

ここでの「わたし自身が起こすかも知れぬ」は、「ぎりぎりのところ」での〈否〉と〈生〉を択ぶべきであるとした友利の視座と対極をなす。これは一九三四年生まれで小学校四年から五年にかけて沖縄戦を体験した岡本恵徳ら戦中世代と、一九四七年生まれの戦争を知らない友利雅人ら沖縄戦後世代との違いだとひとまず言っておきたいところだが、世代論で振り分けられるほど問題はクリアであるわけではない。

岡本の「水平軸の発想」に注目したいのは、集団自決に現われた共同体の生理と意識を、復帰運動のなかにも流れ込んでいることを読み破ったことである。すなわち、「誤解をおそれずにあえていえば、『渡嘉敷島の集団自決』と『復帰運動』は、ある意味では、ひとつのもののふたつのあらわれであった」と述べているところに端的に示されている。この見解は「〈水平軸の発想〉その二」（「唐獅子」沖縄タイムス、一九六九年一一月八日）では、「家・家族―ムラ―同胞―郷里―という同心円に広がる意識、その同心円の外延として《国・国民》を想定していく〈水平軸の発想〉による国家意識」として把握されていた場所と呼応し合っている。

「水平軸の発想」の名をもつ岡本の二つの文は、友利の劇評では触れてはいなかった与那城昭夫のカウンター性について考えさせられる。与那城は、戦争のとき四、五歳でほとんど「戦争の記憶はない戦後世代」の位置が与えられている。島の観光映画の制作を依頼された南海映画社のカメラマンとなっているが、助役の不満をよそに戦争記録映画に仕立て上げようと企む。

興味深いことに、与那城が場面展開に参入してくるたびごとに「与那城登場」もしくは「登場」のト書きが付されていることである。これは、戦争体験の当事者ではない、しかも外からの介入者もしくは攪拌者の符牒として読める。彼は島の人と「本土」の人、住民と兵隊が一緒の慰霊祭は間違っているとして、慰霊祭の分割・改革案を提言する。そしてこの戯曲のもうひとつの重要なテーマにもなっている、「心の二七度線」に象徴させられた沖縄と「本土」の溝や「祖国復帰運動」にも懐疑的である。「ぼくから言えば、本土復帰とか沖縄返還という言葉はいちばんよくないな。日本復帰も祖国復帰もよくない。戦争反対と沖縄解放だけでいいんだよ」と説き、学生時代に「祖国復帰運動」に疑問を抱いたことから、復帰以前に沖縄の姿をたしかめたいと思い、写真や映画をはじめたことになっている。ところが「島では戦争の傷をいやさないうちに、戦争を忘れたがっている。忘れられないくせに忘れたような顔をしようとする」島と島びとの生き方をいぶかしむ。

この「忘れられないくせに忘れたがっている」屈折に、慰霊祭改革の動機が隠されていると見てもよい。与那城のキャラクターには、六〇年代後半から胎動する若者たちの造反や価値転覆が意識されていることは間違いない。その意味でヤエの戦争責任の組み換えに重なるようにも思える。与那城の「祖国復帰運動」観や戦争体験のくぐり方や慰霊祭のあり方に対する、それ自体としてはまっとうにも思える批判だとしても、〈ト書き〉に導かれた外からの介入者にして攪拌者である限り、島びとの心の闇に降り立つことも、「忘れられないくせに忘れたような顔」に隠された機微の内側に分け入ることはできなかった。ちなみに「祖国復帰運動」への疑問の解消として言われる「心のなかの二七度線」を取り払う「心の連帯」にしても、友利が「政治的文学者」の見解に異議を挟んだ、幻想を実在と信じ込みスローガン化するもので、復帰幻想の限界を越えるものではなかった。

与那城の島への介入と改革の身振りは、友利が「故郷喪失」をめぐって「いつか故郷を回復するために、この喪失は払わなければならない代償であるだろう。もしもこの告発の場処を放棄する時、わたしたちはそれによってただにせの『復帰』とにせの『故郷』を手にすることになるだろう」と示唆した「払わなければならない代償」と「にせの『復帰』」と「にせの故郷」に根源から対峙することによってしか果たすことはできないはずだ。ただ、ここでの「告発の場処」とは、本土─沖縄関係を加害─被害の図式に落とし込んで並置化していくカラクリを異化し、対象化していく二重の方法的態度を指していっていることは注意を払うべきである。それはまた「集団自決」と「祖国復帰運動」を「ひとつのもののふたつのあらわれ」だとした岡本恵徳の視座と向き合うことを意味した。ふたつのあらわれの根っこにある〈ひとつ〉とは何かが明らかにされなければならなかったのだ。

「あまりに沖縄的な〈死〉」をめぐって

「離島社」の肩書で、友利雅人が一九七一年の『現代の眼』八月号に発表した「あまりに沖縄的な〈死〉」は、『神島』の劇評「祝女の言葉」の再検討、とりわけヤエの言葉から導き出した臨界点での〈否〉を突きつめていく内実をともなっていた。この論考はまた、一九七〇年三月に元守備隊長だった赤松嘉次大尉が、戦後二五年目の渡嘉敷島での慰霊祭出席のため来沖したことをきっかけにして沸騰した自決命令があったかどうかについての議論に批判的に介入しただけではなく、集団自決をめぐる複数の事象が転換期の沖縄の核心を刻んでいることへの応答にもなっている。この文が際立つのは多角的な記録によってもなお掬い取ることができない深層を凝視し、根源への入口をこじ開けようとしていることである。島民が語ることを避けた沈黙の領域や語ろうとして語りつくせない無念の思いにこそ想像力を届かせ、六九年の「祝女の言葉」で問いかけた告発と対象化の二重性を掘り下げていった。友利は島民の〈沈黙〉の根っこに降りることによって「あまりに沖縄的な〈死〉」に迫ろうとする。そのために、当時「集団自決」について書き残された数少ない記録である『鉄の暴風』（沖縄タイムス社、初版は一九五〇年）と『慶良間列島渡嘉敷島の戦闘概要』（渡嘉敷村遺族会編、一九五三年）、ドキュメンタリー映画『それは島――集団自決のひとつの考察』（監督：間宮則夫、一九七一年）、そして元守備隊長が慰霊祭出席のために渡島しようとして阻止団に阻まれたときの発言に検討を加えていく。

たとえば、集団自決の真相に迫ることを試みたドキュメンタリー『それは島』で村民の沈黙を「取材するということで集団自決といわれる陰惨な事実のアポリアを突き破ることはできない」と指摘したかと思うと、米軍の記録に出てくる、わが娘を殺した自責にワッと泣き伏した一老父の例を挙げ、村民の間の確執が存在するだけではなく「ここではすでに同一人の内部の葛藤が消し難いものとして刻み込まれて、加害―被害の主体が錯綜し、ねじり合わされているのだ」ということに目を向ける。

さらに阻止団に追及され「それならほんとうのことを言おうか」と開き直った赤松元守備隊長の、けっして明かすことはなかった「ほんとうのこと」を視ようとすれば、己自身の責任追及から島共同体内部の不和と破壊へとつながるだろう島内部の責任を、しかも「村民すべてがその〈場〉にいたのである以上、ひとつの暗黙（間接的）の共犯関係を否定するわけにはいかない」消しようもない痛点を同時に問題にしなければならないこと、そして三九四人の死を忘れることができない以上、責任の外への転位とその分過剰に内へと抱え込むありようから、「この意味において集団自決における責任追及はいつでも二重なのである。この二重性ゆえに、村民の記録も赤松の弁明も相対化されざるをえない」という見解を練り上げていった。

そうしたいくつもの錯綜から破局へと向かう道行きに焦点を絞り「死に至る共同体」と名づけた。この「死に至る共同体」は、友利が六九年の戯曲『神島』の劇評でたぐり寄せたぎりぎりの地点での〈共死〉を拒む〈否〉を背後から浮かび上がらせ、岡本恵徳が論及した、家・家郷から国家へと同心円状に広がる「水平軸の発想」と巡り合う。ここにきて、ひとつのものがふたつにあらわれる根っこの〈ひとつ〉とは、沖縄近現代の精神史が日本との関係で囚われ、閉ざした国家への一体化幻想であったことが明らかになる。

「あまりに沖縄的な〈死〉」とはこの〈一〉なるものへの幻想の気圧を淵源にしていた。だが、「わたし自身が起こすかもしれない」とした岡本と、「ぎりぎりのところ」で〈否〉に賭ける友利の違いは残されたままであり、その違いは世代論的な違いではあるにしても、それ以上に思想のエッセンスにかかわっていた。ただ「死に至る共同体」と「水平軸の発想」は、戦争と軍隊によって〈島〉から〈国〉へと収斂していく「歴史的関係の暗部」を切開したことで共振していた。友利は、語ろうとして語り尽くせない島民の内向していく沈黙が国家へと向かっていく道を歴史時間の幅をとったパースペクティブにおいて据え直していた。

この離島の共同体から国家への距離は戦争（あるいは軍隊の支配）によって架橋されている。この架橋の過程が沖縄にとってもつ意味を明らかにすることは、たんに戦争体験論とか責任論の問題ということはできない。それは薩摩侵攻以来の琉球、そして日本近代国家と沖縄の歴史的関係の暗部を切開することにつながっていくはずである。

この「歴史的暗部」を切り開いた地点から「集団自決」と「復帰運動」を負の遺産として受け止め、根底まで下降することなしには批判的乗り越えは不可能である。その作業過程において〈アンチ・シュタートとしての沖縄〉もまた発見されていくのだろう。

集団自決は、われわれにとって負の遺産である。そして復帰思想―運動もまた負の遺産である。国家にとりつかれた存在たる琉球・沖縄は島の根底にまで下降するのでなければ、その歴史を転倒することは不可能であるように思われる。アンチ・シュタートとしての沖縄――それがどのような形をとって現れるかはだれにとっても視えてはいないが、われわれにとってここで問題なのは、あれこれのプログラムではなく、国家に収斂していく共同性の回路を断つことである。その方法がみえてくるとき、はじめてわれわれは沖縄としての沖縄と向き合うであろう。

「あまりに沖縄的な〈死〉」の批評的到達がここにはある。集団自決を問うことは復帰運動を問うことであり、復帰運動を問うことは国家を問うことでもあった。戦争という苛酷すぎる交通によって「死に至る共同体」を演じさせられた、島の、沖縄の、それこそ〈あまりに沖縄的な〉という形容が物象化へ陥ることのない思考の道筋と営みがあった。「国家に収斂していく共同性の回路を断つ」こと、「沖縄としての沖縄と向き合う」こと、そのためには沖縄の戦後世代の意識と身体を拘束したもうひとつのアポリアと向き直す必要があった。

ポスト復帰の希釈と戦後責任を問うこと

「ひとつの前提――戦後世代と天皇制」(「特集・沖縄と天皇制」、『新沖縄文学』二八号、一九七五年)は、そうしたアポリアと沖縄の戦後世代の自己への探訪の試みである。友利のこの一文については私なりに論評してきた(「桃太郎と鬼子」、『悲しき亜言語帯――沖縄・交差する植民地主義』所収)ので、重複は避けるべきだが、ここでは「あまりに沖縄的な〈死〉」の批評的到達点を導き出すためのライトモチーフとなった「国家に収斂していく共同性の回路」に注目し、〝負の遺産〟としての「集団自決」と「復帰思想―運動」を、友利自身がいちどは「たんなる」と退けた〝責任論〟において問い直してみたい。そのことはまた「ひとつのもののふたつのあらわれ」を沖縄の戦後世代の体験の内側から問題にしていくことにもなり、さらに「『責任』は、わたしたちが作った。しかし、『連累』は、わ、た、し、た、ち、を、作、っ、た」(テッサ・モーリス＝スズキ)の力点の置き所を〈責任〉まで広げ、〈責任〉と〈連累〉が交差するところに「ひとつの前提」を問う核心をより前景化していくことにもなるはずである。

では、「ひとつの前提」とは何か。この問いへ応えるにはやはり次の指摘を通り過ぎるわけにはいかないだろう。すなわち、「戦前―戦中派の教師たちが、皇民化教育で戦争責任を追及されるべきであるならば、戦後沖縄の教師たちが、その国民化教育によって戦後責任を問われるのは、わたしたちにとってひとつの歴史的前提であった」。「国家に収斂していく共同性の回路」の戦前と戦後のありようが、皇民化教育と国民教育の〈責任〉の問題を通すことによって結び合わされるヴィジョンが明示されていく。沖縄の戦後世代としての友利の視線は、復帰運動の中心的担い手となった教師たちの先験的理念とその具体化としての「国民教育」とともに「国語＝標準語教育」に向けられる。そのとき責任主体である「わたしたち」はもう一方の「わたしたち」の存在にも目を向けなければならない。

これはどういうことだろうか。「わたしたち」に〈が〉と〈を〉の異なる接続詞によって責任と連累を交差させることである。責任は連累に送り返され、連累は責任を問う。二種類の「わたしたち」が責任と連累において出会うということになるが、ひとつは〈が〉によって作る「わたしたち」、いまひとつは〈を〉によって作られる「わたしたち」、友利はこの連累において作られる戦後世代としての「わたしたち」の意識と身体の内側をも注意深く探訪し、そこに独自な存在規定性を発見する。それは、〈しかし〉という逆接をあらわす接続詞を独自に旋回させる存在としてである。たとえばそれは、「教師たちがこのようなまったくの先験的な理念、心情によって日本国家に没入していったとすれば、教育を受けるがわのわたしたちの意識は、日本人であるかどうかわからない、しかし……という〈二重性〉としてあった」という特異性に目を向ける。友利の役割はこの「〈しかし〉と問いかける根源的な何ものか」、つまり沖縄戦後世代の意識の基層をなす「日本人＝国民意識の不在、ないし混乱」を可能性へ向かって開こうとしたことである。

とはいえ、復帰後三年目に書かれたこの一文は、「日本人であるという無自覚な認知と調和への幻想によって国家へ没入していく世代が生み出されつつある」と最後を締めくくったことで、新たな困難を予告するテクストにもなっていた。〈戦後責任〉を問われた主体がそれをなすことなく、ポスト復帰の時空になし崩しにされていくことへの無念さが込められていた。「国家」に収斂していく〈共同性の回路〉を断つことによって獲得した〈アンチ・シュタートとしての沖縄〉や戦後世代が〈連累〉において身体化した〈しかし〉の二重性から複雑な手続きを経て導き出された可能性としての〈国家〉に抗する思想がリレーされていかないことの、痛みを伴った予感のように聞えてくる。

川満信一論としての「含羞と憤怒」（『青い海』七九号、一九七九年）は、同じ宮古島を出自にもつ詩人にして思想家の〈根の思想〉をまさぐりながら、復帰後六年目の沖縄の思想状況への批評的介入にもなっていた。かつてその強い吸引力につかまれもした〈反復帰の思想〉も含め、「沖縄の戦後思想は現実における『復帰』を超えうるものではなかった、という苛酷な認識に立つとき、すべては負の遺産として残されているだけだ」と言い切ったことと、「あまりに沖縄的な〈死〉のなかで使われていた「負の遺産」がここで繰り返されていることに、終わらない沖縄戦と「復帰」が何を隠したのかが示唆されてもいるはずだ。「『復帰しても地獄、復帰しなくても地獄』という言葉に塗りこめられた、国家との関係における沖縄の在りようはこれからも永くわたしたちを苦しめるだろう」という覚醒は、困難さの確かめ直しでもあった。復帰運動が求めた一体化と系列化の幻想を併合のロジックに接収していった復帰後の風景は、沖縄の戦後世代を永く苦しめた国家との関係を問うことなく、奇妙な明るさにもつれながら希釈化されていった。

「見果てぬ夢」から「路上のパンセ」へ

八〇年代から九〇年代にかけて、友利雅人は決して多いとは言えないが印象的なエッセイを残している。それらは「〈しかし〉と問いかける根源的な何ものか」がリミットを回り込んだことへの、断念をともなった孤独な闘いの様相を滲ませている。

「琉球共和国へのかけ橋」を特集した『新沖縄文学』四八号（一九八一年）に、「Kさん」への手紙という形式を借りて書いたエッセイ「見果てぬ夢」は、友利のそうした時代を突き放しあえて孤立に閉ざしていく内向の気さえ感じさせられる。「Kさん」とは『新沖縄文学』の編集責任者でもあり、あの「含羞と憤怒」で評した川満信一であることは想像に難くない。この特集号で川満は「琉球共和社会憲法C私（試）案」を起草していた。この憲法草案は友利が「含羞と憤怒」のなかで触れていた、沖縄の「われわれ」を苦しめた「国家との関係における沖縄のありよう」を、復帰思想批判によってこじ開けた窓から、ポスト復帰の政治空間を自律的に立て直そうとした画期を印す構想だと思うが、友利の痛恨はぬぐいようもなかった。

国家の狡知に対する自分たちの無力を自覚した眼からみれば「見果てぬ夢」の変態にしか見えない

のだろう。沖縄が見知らぬ土地のように思えてくる深いところからの「よそよそしさ」の感受は、「日本国家と対峙すべき沖縄の根拠」を築くことができなかったという痛覚からくるもので、「思想の植民地的退廃、それがペストのように蔓延し現実との血のにじむつながりが断たれているのです。それを奴隷的というのですし、無思想とよぶのです」と言い放つ場所へとつながっている。〈思想の植民地的退廃〉〈奴隷的〉〈無思想〉とはまた痛烈だ。「復帰一〇年、ふり返れば闇、まさに痛恨のきわみです」と書き置いた一行はその間の事情を伝えていて、痛ましさなしには読めない。

このエッセイ「見果てぬ夢」の調子は、その三年後の八四年に書いた「思想の不在、不在の思想」にも伏流している。それどころか沖縄の文化や思想状況への苛立ちと疲労感は、友利の実存を嚙むまでになっていた。言葉の母体となっている沈黙の世界から切断され、記号となって消費される言葉は「ゴミ」である、と断じる。「わたしたちは断片の断片として存在している」ともいう。だが、最後の『パパラギ』の近代文明批判を援用する手前で、断片の断片を掻き分け、「人間と語るよりは、風や光と波、蟻やみみずと語ったほうがいい、子供達にはそれができた」と振り返った言葉は、後ずさる果てから吹き抜けてくる一陣の風を呼び入れるようだ。根源を希釈しないためのせめてものひと雫。この文末近くに残した言葉は、冒頭で回想した宮古島での幼少期の葬列の記憶と、ひたすらに無名と無償を生きた祖母への思慕と対応していることは間違いないだろう。

そして「路上のパンセ」があった。沖縄タイムスの土曜文化面に一九八八年七月から翌八九年四月まで四〇回にわたって連載されたこの写真と文のインプロヴィゼーションは、沖縄の風景への極私的潜航の記録にもなっている。写真は大城弘明が、文は「J」となっている。「J」とは誰か？　いや、

「J」を仮装したのは何者かと問うべきであろう。「J」のイニシャルに隠れた者こそ友利雅人であった。連載の扉を開いた第一回目は「私はだれでしょう……?」となっていた。「わたしは誰かと問わないでほしい。わたしは何処にでもいるひとりの歩行者、むしろその影でありたいと願っている」としたところに、「J」を仮装した友利の地歩を読み取ってもよい。匿名であること、影であること、ただの歩行者であること、その無調な営みがリリカルに翳っていく文を織る。視ることが詩を孕み、孕んだ詩が視ることを深くしていく、そんなフォトエッセイだ。友利の歩行は、海辺と未完の物語への帰還、そして影とともに死へと傾いていく気配を濃くしていく。連載最後の一つ手前にはこんな自己省察の言葉が添えられていた。「生と死、光と影、可視と不可視……こんなふうに対照させてみると生よりは死に、光よりは影に、見えるものよりは見えないものに大きく偏向していることに気づく」

那覇をめぐる環状線の古島から首里へ向かう坂の途中で末吉公園に入ると、ゆるやかな弧を描く駐車場がある。その縁から森の斜面へと下る手前、一本の樹木に背後から抱かれるように友利は自ら死を選んだ。一九九九年一一月三日、五二歳だった。車の群れがアスファルトの河を渡っていく音の騒ぎが夜の闇を縫って耳朶にこだまする、そのとき、宮古島の東の端の少年の海は満ちてきただろうか。もしかしたら、人間に話しかけるように牛や馬や犬に話しかける祖母の佇まいに「深い意味が隠されている」とした〈そこ〉、いや、そうではない。彼は〈未完の物語〉へと還ったのだ。路上の〈パンセ〉のように。

沖縄の戦後世代の経験史を、遠くまで訪ねた友利雅人という名のオブセッション。そのオブセッシヨンはいまだ未葬だ。

あゝ沖縄人プロレタリアート

「何故　沖縄人か」という名の小冊子が残されている。藁半紙にガリ版刷りにしてホッチキスで閉じただけの簡便なもので、くすんで錆び色に変色した表紙には、題名と離島社同人宮城島明、目次、発行所の離島社、一九七一年二月二二日の発行年月日が記されている。宮城島明とは松島朝義のペンネームである。離島社同人の討議用資料として作成されたその冊子が作られた一九七〇年代のはじめ、松島とは、東京タワーを占拠し、アメリカと日本（人）を糾弾、逮捕、起訴された沖縄出身の富村順一の裁判闘争を支援する共闘会議で知り合っていた。荻窪にあった離島社の事務所にも複数回出入りしたことがあり、そのときに譲ってもらったものである。よっぽどガリ切りに通じていたのだろう、端正な文字で埋められたその論考は、「沖縄人」に「カウナアーンチュ」という奇妙なルビがふられ「〝何故　沖縄人か〟」となって『構造』（七一年六月号）にも転載された。

振り返ってみて思うに、キャンパスの内部からはじまり、やがて街頭へ、そして駅の地下街へと広がり、領域を越えて変革のうねりを作ったあの時ほど、ガリ版文化が似合う時代もなかった。状況の熱に促されるように次々に生まれていく無名無数の集団がそれぞれの内言語を鉄筆で原紙にカリカリと刻み、それを謄写版で一枚一枚刷り上げ、雑踏のなかに解き放っていった。手の痕跡をとどめ、キャンパスの壁や駅のトイレや地下道を占拠したビラやステッカーやポスターは、姿形を整えながら高度経済成長路線をひた走っていく風景への叛乱のようにもみえた。その間隙に紛れ込むように自家製の詩集をこしらえ、地下街の雑踏のなかに立つガリ版詩人が生まれたのもその頃であった。一〇〇円の値と「私の詩集」と書いた紙きれや段ボール紙を首にぶら下げた無名の地下詩人たち。なかには駅弁売りのような姿もみられた。

そんな季節のただなか、恰幅の良い体軀に丸顔の大きな目玉を乗せ、太陽に焼かれた浅黒い皮膚をもった男が池袋の地下街の柱に凭れてガリ版詩集を売る、あの「何故 沖縄人か」の当人を見かけたことがあった。一瞬、見てはいけないものを見てしまったような気まずさが走り、なぜとはなしに回り道をしてしまった。地下の雑踏のなかに立つ姿に、理論パンフ「何故　沖縄人か」のようにはいかない事情をかぎ取ったからなのかもしれなかった。友人や知人から「マチュー」と呼ばれていたその男・松島朝義、首にかけた段ボール紙に書かれていたのは《マチューの詩集》だったかどうかまでは記憶にない。ガリ刷りの駅弁詩集がどのような内容のものだったかは、本人の手元にもないとなればたしかめようもない。

松島が地下街に立った時代は、沖縄闘争学生委員会（略称「沖闘委」）の現地闘争団として一九六九年の一〇月二〇日に嘉手納基地内に突入、逮捕、起訴され、その後、東京に戻り、分裂、解体したあとの沖闘委のノンセクトの元メンバーが中心となって集まった思想結社的な離島社を主宰、ガリ刷りの資料を作成しながら勉強会をやっていたときであった。のちにその時代を振り返ってこんなことを言っていた。「わたしごとをいえば、〈あなたが沖縄であり、沖縄はあなたである〉と強いた地獄に、〈わたしが沖縄であり、沖縄はわたしである〉と向き合い、開き直った不健康な関係性に身を晒し、無数の内部と無数の外部を腑分けしながら、混沌とした時を生きていた東京時代がありました」と。これは、沖縄タイムス文化面で、複数の同世代が書き継いだ「私の六〇年代論」という副題のついた連載《オンリー・イエスタディ》（一九八九年九月一二日）のなかの松島自身の言葉である。

沖縄から出郷した若者たちは、〈あなた〉と名指す時代のマスイメージに囲繞された。「返還」や「奪還」や「解放」、その他多くの沖縄論は、沖縄を日本の主権に内属する部位としてしか見なしていなかった。そうした時代のまなざしを〝地獄〟と感受したのはいかにも松島らしいが、その〝まなざしの地獄〟に抗うことによって〈沖縄〉を〈わたし〉のもとに帰還させる根拠を創出しようとしたのだ。だが、あなた＝沖縄⇕わたし＝沖縄という対抗は、強いることと開き直ること、名指すことと名指し返すことの差があったにしても、いずれも共同の幻想行為であることに違いはなかった。だからこそ「復帰運動の只中で十代を通過した私（達）を、金縛りにした張本人とは、まぎれもなく『沖縄』という共同幻想であり、帰還と脱出を繰り返しながら、自らの出自を確認するという作業にほかならなかった」と言わざるを得なかった。

ガリ版が似合った叛乱の季節、「マチュー」と呼ばれた男は、幻の詩集を含む多くの政治・思想論考を残した。その文の闘争は韜晦や無器用さを残しながらも沖縄の七〇年世代の精神史において〝時のなかの時〟となって瞬き、語りかけてくる。

「沖縄」と「沖闘委」と「自分」

「乗りこえの論理」というレポートがある。『沖縄解放への視角』（沖縄研究会編、田畑書店、一九七一年）に資料集として収録された「全国沖縄闘争学生委員会現地闘争団『現闘団ニュース』のNo.1―No.5（六九・一二・一―七〇・一・二二）で、「10・20嘉手納基地突入闘争被告　松島」の名も入っている。

この報告の基調になっているのは、締めくくりに反復されている「乗りこえるべき者は自己であり、乗りこえられるべき物は基地の金網である」という一節にあるが、松島自身にとっても変わり目であったことを窺い知ることができる。松島の政治思想の「はじまり」を刻んだのは、沖闘委の存在であったことはあらためて注目しておいてよいだろう。沖闘委は、沖縄出身の国費留学生のひとりが一九六七年の佐藤首相のヴェトナム訪問を阻止する、いわゆる第一次羽田闘争と呼ばれ、新左翼運動の起点にもなった闘争で逮捕され、身分をはく奪されたことに対する撤回の取り組みの過程で、沖縄出身国費留学生が中心になって結成された。アメリカの排他的支配下で移動を監視する装置としてのパスポートを焼き払ったり、出入国審査を実力で突破する渡航制限撤廃闘争を、鹿児島港や那覇港や晴海港で取り組む。その時代はまた、ヴェトナム戦争によって破綻したアメリカのアジア政策を沖縄の施政権返還＝日米共同管理体制への移行によって乗り切ろうとしたことから、七〇年安保やヴェトナム反戦とともに〈沖縄〉が状況の尖端にせり上がってきたときでもあった。それと同時に、日本復帰運動の限界が、たとえば2・4全島ゼネストの流産によってはっきりと露呈したこと、他方、その限界を越えていく運動体や思想潮流が形成されていったことなど、まさに転換期でもあった。「乗りこえの論理」はそうした転換期の流動を理論と実践に接合しながら、独自な眼と声を響かせていた。沖闘委の性格が沖縄出身者で構成されてきたことに「なぜ?」を介在させ、「沖縄」と「沖闘委」と「自分」の関係を問い直し、組み換えていくことが試みられていた。三回目の報告では、「僕自身の政治性の構築過程」について触れていたが、「〈沖縄〉をとらえる視点とは何か」と問い、沖闘委と全国全共闘運動を対比し、両者の違いを解き明かしていく。沖闘委の方針、戦術、戦略が曖昧であることや二流以下でもあったとしても、〈沖縄〉での「生存過程の蓄積」が力となったことを第一に挙げ、第二に、沖縄が戦後世界体制の「過渡的場所」であるとともに、抑圧から解放される「歴史的場所」でもあるという認識を示していた。〝政治性〟とはそうした〈沖縄〉を体現している沖闘委のなかで発芽させられていく、と記していた。

四回目の報告〈生活空間からの再出発〉では、その〝政治性〟が「政治的人間を試行する目的意識」の問題として据え直され、そこにある「落とし穴」や「欺瞞性」について指摘しているところが興味を引く。ナショナリズムや合法的経済闘争を乗りこえられるべき対象とする視点の裏に「沖縄出身大学生という自己の生活空間をプロレタリアートの緊迫した生活環境と同一視する幻想」を知らず知らずのうちに内包してしまう「恐ろしさ」について述べ、次のように続けていた。

また、ひょっとしたら、ひょっとして、沖縄出身学生という身分が超階級的ともいえるような存在として、あらゆる今日的課題をぼかしてしまうような、もう一つの〈幻の祖国＝沖縄〉を所有しているのではないかともおもえる。

「もう一つの〈幻の祖国＝沖縄〉」という箇所に立ち止まってみたい。何が言われているのだろうか。沖闘委は沖縄出身学生のみで組織されているが、そのことを過度に強調することは目を曇らせトータリズムへ傾くことへの恐れが表明されている。出自を囲うことは避けられず選択と排外がともなう、内を固めることが外を疎外していく力が働いていることに無自覚であるべきでないということである。「超階級的」という四字には、復帰運動のナショナリズム批判がもうひとつのナショナリズムを呼び込むことへの警戒と自省が込められているはずである。

沖闘委の独自性や自己の〝政治性〟を語るためには〈沖縄〉の視点が欠かせないとしても、その〈沖縄〉は両義的である。沖縄という主体を立ち上げ、それを主権の地図に囲うことの陥穽、日本を祖国と幻想しナショナルな物語を沖縄の側から補完していく復帰運動の双方にノンを立てること。〈幻の祖国＝沖縄〉へと傾く〝恐れ〟は、そうした相補性と対抗が陥るアポリアが注視されている。言葉を換えれば、〈あなたは〉と名指す側に〈わたしは〉と名指し返すカウンター行為は、主体が立ち上がってくるときの力を発見することでもあるが、そこに忍び込む自同律の罠に無自覚であってはならないということである。

七〇年代的想像力と風景への叛乱

「乗りこえの論理」のはじめに挟んだ、「倫理的問題が一つの行動軸となった肉弾の思想―ゲリラ闘争」という謎めいた、というよりも、容易には理解し難い言い回しについて考えてみよう。ここでの「倫理的問題」とは、たとえば「二二年間の生存過程」や「基地の金網への憎悪」という言葉に含意させたむき出しの生にかかわっているように思える。「肉弾の思想―ゲリラ闘争」とは、身体が行為に転じる直接性ということになるだろうが、それを渡航制限撤廃闘争から基地そのものに向けていく政治過程の質的変化において語られているはずである。

嘉手納基地突入闘争はいわば、「二二年間の生存過程」が行動軸を獲得したということである。そして「沖縄で宿命的に誕生した環境そのものと自己の存在基盤を問うような形で解放していくのか？」という設問は、沖縄の「戦無派」世代が転換期の状況の熱量を孕み、暴力的に視界を遮る基地の金網の風景へと向かうとき、自己と金網が乗り越えるべきものとして対象化される。ここで言われている「肉弾の思想―ゲリラ闘争」は、実際には松島朝義を含む四人が嘉手納基地の金網を越えて基地内に入り、火炎瓶を投げつけ、滑走路に向かって走っていると、駆けつけた米兵に「家畜のように」軍用トラックに放り込まれた記憶として刻まれた「事件」のことである。巨大な米軍基地の存在をゆさぶるには針を刺すような行為だったにしても、それまでけっして越えることはなかったオフリミッツの金網がその年の八月に続き越えられたことの意味はけっして小さくはなかった。復帰運動が〈幻の祖国＝日本〉を捏造し、肥大化させ、目の前の基地の存在そのものへの視野をネグレクトさせていったことに対するカウンター行為であったからである。つまり基地を「乗りこえ」の対象として、身体を賭して行為遂行したことにあった。何よりも目を止めたいのは、風景への叛乱であり、まなざしの革命でもあったということである。この抑止されたまなざしを解き放つ風景への叛乱は、同時代の想像力をゆさぶったことは間違いない。

松島朝義と同年で高校も同じだった又吉栄喜の小説「軍用犬」は、「肉弾の思想—ゲリラ闘争」の衝撃が意識されていたかどうかは詳らかではないにしても、「基地への憎悪」とか「日常生活の中で培われてきた僕ら戦無派」の「コンプレックスや被害・加害意識と二重、三重の矛盾」などのそれこそ身体化された言葉からの照り返しを読み取ることはけっして不当ではない。「乗りこえの論理」を、いわば小説的想像力において騙り取ったのが「軍用犬」であった、といえなくもない。

「軍用犬」は「現代沖縄小説シリーズ」のひとつとして、沖縄タイムスに一九八六年四月二三日から五月二四日までの三一回連載されたものである。連載にあたって又吉は幼少時に野良犬にかまれた消えない記憶を振り返り、「もしかすると、同じころ、青年たちは架空の（架空だからこそ不気味な）軍用犬にかまれていたのではないだろうか、という思惑を戯画化してみたい」とコメントしていた。「架空の軍用犬にかまれる」は「肉弾の思想—ゲリラ闘争」を想起させ、「戯画化」とは、「乗りこえるべき者は自己であり、乗りこえられるべき物は基地の金網である」というテーゼへのデフォルメされた関心だといってみたい。

「軍用犬」の三人の青年の〈敵〉の思想と〈運動〉の論理は、軍事植民地状況におかれた土地の抑圧と倒錯的な解放をめぐる夢譚として読めるだろう。軍用犬には恐怖や凶暴さが投射されるゆえに、咬まれることによって宣伝と扇動の戦術になる。「〈運動〉の方向は全犬を殺害する」ことを「路線」にしたセクトは、リーダー格の嘉一と組織の路線を実行する、つまり軍用犬に咬まれる役と咬まれることによって変わっていく玄三、組織の路線に距離をとる「C」のイニシャルが与えられた俺の三人から成る。三人にしたのは、組織が成り立つ最低の条件に切り詰めることによって夢譚と戯画性を浮き立たせたかったからだろう。物語は砂糖黍畑の中でのアジトの設営、軍用犬の殺害、金網の下に掘った穴から基地の中に入り軍用犬に咬まれる緊迫した場面、組織内部の齟齬や対立、集落や村びとたちへの宣伝と扇動、逆に村びとから暴露されるセクトの陰謀と素性、最後は巨大な軍用犬の囚われの身となる俺の奇怪な夢で終わる。

この作品で印象的なのは基地の金網と対称をなし、金網とともに青年たちの深層意識に働きかける砂糖黍畑である。砂糖黍畑は、三人の隠れ処であり、米軍が村を分断するための陰謀（玄三の妄想のなかに出てくる、軍が畑に大量のネズミを放したり、化学液を投じたりする）のトポスにもなっているが、葉擦れの音や枝が落とす影は内面の襞とかかわっている。モノカルチャーとしての砂糖黍は、基地の金網と対をなすように極東のキーストーンの風景を覆い、二分するほどの比重を占めている。「眼前に立ちはだかった基地の金網」を越えた松島朝義の「乗りこえの論理」と、砂糖黍畑をアジトに金網の下に穴を掘って基地の中に入り、軍用犬に咬まれることによって抗争を戯画化した又吉栄喜の「軍用犬」、実際の行動とフィクションの違いはあるものの、フェンスをめぐって沖縄の社会空間を分ける、だがモノカルチュラルな風景への叛乱でもあった。

『風景の死滅』（田畑書店、一九七一年）によって、権力と叛逆への見方をまったく異なる視点から読み換えたのは松田政男であった。松田は連続射殺魔と言われた永山則夫の足跡を辿るドキュメンタリーを制作するため日本列島を流浪する過程で、どこまで行っても同じような均質な風景が広がっているだけであることに、殺人の深い動機を発見する。都市と農村、中央と辺境、東京と田舎という二分法を越えて敷き均されていく、アメリカナイゼーションを内面化した高度経済成長下の〝均質の牢獄〟ともいえる風景にこそ国家と権力は宿っていることを鋭敏に嗅ぎ取っていた。「日本列島を流浪した永山則夫は、かくして、何処まで行っても、何処にでもある風景のみに突き当らざるを得ず、したがって永山則夫は、ついにこの風景を切り裂くために弾丸を発射せざるをえなくなったのである」というところに、松田は風景論の起点を書き込んだ。状況論から風景論へ、時代のラディックスの転生でもあった。

松島や又吉が目にした風景は、日本列島の内部のそれではなく軍事的キーストーンのそれである。だが「何処まで行っても、何処にでもある風景」に変わりはなかった。別な意味での、しかも暴力によって均質化されたむきだしで単色の風景。永山則夫のように弾丸を発射したわけではないにしても、肉体をもってオフリミッツの金網を越え、想像力をもって金網の下の地中に穴を穿った。

〈主体化の思想〉の累進と転位

嘉手納基地突入闘争ののち、松島朝義は活動の場を再び東京に移すが、それは「乗りこえの論理」を理論的に深化させていく過程でもあった。先に触れたように離島社を拠点にして、七一年に本名と宮城島明の筆名で発表した複数の論考はその感を強くする。『情況』や『現代の眼』が主な発表誌だが、『構造』や『序章』などのニューレフト系の理論誌などにも及び、その数は一年で六本（ひとつは対談）を数える。ほぼ二か月に一本のペースになる。

これら七一年に集中して書かれた政治・思想論は、日米共同声明路線に基づく七二年沖縄返還をめぐって露出した国家と国境、民族と階級、統合と拒否、ナショナリズムとインターナショナリズムなどが交差する問題群に分け入り、沖縄解放への理路を探求したものである。松島朝義版《過渡期世界―永久革命論》ともいえようが、なかでももっとも力を注ぎ、これらの諸論考のライトモチーフとなっているのは、復帰運動の終焉から新たな主体をいかにして創出していくかということだった。それは〈沖縄人プロレタリアート〉という概念に結実させられていく。

この一見奇妙にも思える概念が公けにされたのは、谷川健一との対談「沖縄＝国家を超える無限旋律」（『情況』一九七一年四月号）のなかであったが、六九年一〇月二〇日の嘉手納基地突入闘争の総括レポートとして書かれた「乗りこえの論理」においてすでにその萌芽がみられ、沖縄中部地区反戦青年委員会（略称「中部反戦」）の討議資料「国政参加と沖縄の帝国主義的社会再編」のなかにも散見できる。七〇年六月一五日に発行された、このわずか一四頁のガリ版製のパンフには、「沖縄の解放闘争は、永続的なものであり、永続性に於いて『世界性』を獲得するのだ。沖縄プロレタリアートは『ヤマト』文化圏を通ずることなく、独自に自らを『世界』へひらかなければならないのである」とか「〈国政参加ボイコット〉――これこそは、日帝に、その支配秩序の中に組み込まれることを拒絶する闘争の論理であり、同時にかかる闘争の主体としての沖縄プロレタリアートが、〈復帰〉路線との鮮やかな対立の中に、自己の戦闘的団結を形成する論理である」というように「沖縄プロレタリアート」という語が強い印象を残す。ここでの概念や論理は、七一年の松島の論考のなかでより詳細に論及されていることや、中部反戦に松島がかかわっていることからして、松島自身の手になるものと推測される。そうでなかったにしても浅からぬ関係から生まれたものと思われる。

「沖縄人」ではなく「沖縄」となっているところに注目しておきたい。「沖縄」と「沖縄人」、「沖縄」から「沖縄人」へ、鍵括弧付きの沖縄人から括弧抜きの沖縄人へ、そして鍵括弧から山括弧の〈沖縄人プロレタリアート〉へ、この瑣末とも思える変化と累進を読み解くことは、松島朝義の主体化をめぐる探求のプロセスを辿ることにもなるだろう。何よりも転換期沖縄の身悶えするようなミクロ政治を読むことができることである。ちなみに「復帰運動の終焉」（『情況』、七一年一月号）では、〈沖縄人〉と山括弧でくくっていることと括弧をはずした沖縄人が区別され、慎重に差異が含みもたされている。国家や民族へのイデオロギー統合に対して取りうる態度は二様ある、というよりも、二重性をもっている。抑圧や差別から逃れようとして「積極的に〈日本人〉に同化していく」ことと、「〈日本人〉になりきる事を拒絶し、逆に〈沖縄人〉に固守する」こと、しかしそのことは「自ら民族排外主義、社会排外主義を形成する」共犯はまぬがれない。排外主義に足を取られず、いかに〈沖縄人〉を解き放つことができるのか。松島もまた中屋幸吉が沖縄に帰還する船上で書き止めた、死の意識の底にうごめいている〈沖縄〉と〈オキナワ人〉であることを問う同じ場所に立たされていたということになるだろう。だが、松島が違うのは、中屋が採った「階級矛盾に四捨五入」するという方法ではなく、〈沖縄〉という場と〈沖縄人〉という主体を構成する、その構成のありようを問題にすることで、解を導き出したところにある。そのために括弧にくくることによって次元を新たにしていくことを方法にしたのがモンタージュのことである。

　括弧にくくることは同一化と排外のねじれた共犯性に陥ることへの注視であり、対象化への構えである。括弧はとらなければならない。どのようにして？「〈日本人〉を拒絶し、〈沖縄人〉をも拒否し、沖縄人としての自己を、主体を、獲得する事」を通じて。さらに言う。「沖縄における闘いが、矛盾した二重構造を止揚することなく、現在まで通過してきた質そのものを、早急に点検し、同化を拒否する沖縄人としての闘争を創出しなければならない」と。二重の拒絶によってはじめて括弧はずされ、強調点が打たれた沖縄人が構成的主体となる。〈沖縄プロレタリアート〉が〈沖縄人プロレタリアート〉となるときでもある。

　谷川健一との対談で、松島は沖縄人を国家の統合イデオロギーに対する「地域的な特殊な形で呼ばれてきた名称」として位置づけているが、この〝沖縄人〟は「なかなか通用しない」のでは、という谷川の疑問に、こんなふうに応えていた。

けれども、今、自らを沖縄人だと位置づけるというのは、自らの内部のすべてをたたきだすということなんです。なぜ、沖縄人か、という歴史が解明されると思うわけです。自ら沖縄人だと位置づけることは、非常に孤立することになると思うんですね。(中略)今の状況のなかでは、やはり自己を沖縄人だと位置づけて展開する外ないと思うわけですね。

なかなか苦しい釈明ではあるが、「自らの内部のすべてをたたきだす」という言葉に不意を突かれもする。しかし、〈あなたは〉から〈わたしは〉へと〈沖縄〉を帰還させるときの自同律の罠への注視者であるならば、「たたきだす」という言葉が何を意図するかは納得できるというものだ。〈沖縄人〉と〈プロレタリアート〉が連接されることは差異を消すことではない、分かちもつことによって構成される「地域性」と「階級性」、「特殊」と「普遍」を接合するコプラとみれば据わりも悪くないというものだ。いや、それよりもむしろ、〈沖縄人プロレタリアート〉は相互の異和を構成する力に編集し、組み換え、そのことによって排外主義に陥ることをも回避していく、いわば〝過渡期主体性論〟とみなせば納得がいくのかもしれない。「何故　沖縄人か」はそうした〈あいだ〉を創発する次元を理論的に措定し直した論考である、ということができる。

そういう意味で、沖縄の七〇年世代の想像力によって誕生させられた〈沖縄人プロレタリアート〉とは、重層的に決定された主体のことだといえよう。この位相において、沖縄の矛盾が一国的な矛盾ではなく覇権国家間の矛盾であるにもかかわらず「日本的な矛盾としても存在するところに沖縄問題の二重、三重に重なりあう特殊な構造」もまた対象化される。この多重構造を、松島は戦争責任の問題とかかわらせて論及していた。すなわち、沖縄においては〈日本対沖縄〉〈沖縄対アジア〉の関係として問われるとして、〈日本対沖縄〉の関係では被害者意識が優先し、〈沖縄対アジア〉の関係では加害者意識が優先することになり、沖縄の戦争責任論はしたがって「日本人と『沖縄人』が二重、三重の矛盾として共存する歴史性の中」に存在するとしていた。そして「この二重三重の構造を解明するためには、日本人として自らを投入させた基盤、すなわちヤマト（日本、日本国家権力）を相対化することによって、その裏がえしであるところの『沖縄人』を顕在化させなければならない」と述べていた。この「その裏がえしであるところの『沖縄人』を顕在化」させるという方法に「何故　沖縄人か」の言語戦略を看て取ることができる。そうだとしても、くり返すようだが、「もう一つの〈幻の祖国＝沖縄〉」への警戒を怠らない視点からすれば、自己矛盾ともとれる言語戦略のあやうさは解消されたわけではけっしてない。しかしそのあやうさは、沖縄が日本とアジアの〈あいだ〉を引き受け「二重、三重に重なりあう特殊な構造」からくるものであり、〈間 - 主体〉の方法的態度だとすれば、頷けないわけではない。矛盾さえ方法に編入する、こうしたリゴリズムとも思える理屈のひねりに、松島《過渡期世界＝沖縄論》の秘められた力を読むことができるだろう。

六〇年代と七〇年代を繋ぎ、越える

「沖縄解放とウチナーンチュウ――『返還粉砕』か『協定粉砕』か」（『情況』一二月号）は、松島朝義へのインタビューを編集部がまとめたものであるが、新旧を問わず沖縄にかかわった運動体と沖縄論が根本から試されていることに対する、やはり主体化への問題関心から接近しているのが際立つ。前半は一九七一年一一月一〇日の沖縄返還協定に抗議しやり直しを求める全島ゼネストに向けての大会後のデモ行進のさなか、デモ隊のなかから投げつけられた火炎瓶を浴びて一人の警察官が焼死した、沖縄の運動史上はじめての「事件」の例を挙げ、死亡した警察官をどう呼ぶのかに言及していた。その死んだ警察官に政治的概念を成り立たせる〈敵―味方〉論の図式を逸脱する「ウチナーンチュ」意識が分有されていることに目を落としていた。いわば命名のポリティクスにかかわる問題で、「なかなか通用しない」と注文を付けた谷川健一へ応えた「地域的な特性で呼ばれた名称」や「何故、沖縄人か」の論旨の、やや強引さはあるもののたしかめ直しでもあった。この時期、松島の関心が何処にあるのかを伝えているようで興味深い。後半部は、この関心を沖縄青年同盟（略称「沖青同」）への応答によって追尋していく。

一九七一年一〇月一九日に沖縄国会と呼ばれた衆議院本会議場で、日米共同声明に基づく沖縄返還＝第三の琉球処分に抗議し、〈在日〉の沖縄人に「決起」を呼びかけた沖青同の主張と行動について、

「沖青同が『総ての在日沖縄人団結せよ！』というスローガンをかかげ、『沖縄人団結せよ！』と呼びかけるのは、そういった『階級的』というよりも地域的・民族的な文脈を踏まえてのことなのである。それは『プロレタリア団結せよ！』という質より、より以上に沖縄の人間にとっては迫力がある、現実的なことなのである」という考えを述べていた。そして次のように続けるとき、より問題は明示的になる。

「総ての沖縄人団結せよ！」という言葉とともに、私たちは沖縄人労働者という概念をこの問いを解く鍵、過程として今提出している。こういう言葉はいまだかつて使われたことがない言葉であろう。なぜならプロレタリアに祖国がないといわれ、従来のマルクス主義は、ストレートに、「万国のプロレタリア団結せよ！」と言っているからである。しかし、私は、沖縄にどういう闘争の主体を形成するか、どういう主体でヒエラルヒーを爆破するかが問われている現在、沖縄の闘う主体として「沖縄人プロレタリアート」をどう形成するかが、沖縄にとって問われているのだと思う。

「かつて使われたことのない言葉」。ここには「祖国なき沖縄」から「祖国」を求めた五〇年代の民族主義と、六〇年代沖縄のラディカリズムに代わる実践主体の誕生が告げられている。中屋幸吉が『名前よ立って歩け』のなかで「小さな矛盾も／階級矛盾へ／四捨五入するのだ」としたように、「民族」から「階級」への移行は、中屋の死の意識の底にうごめいていた〝オキナワ的〟なるものを深めていくことには必ずしもならなかった、その〝オキナワ的〟なるものを直接的に意識していたわけではなかったにしても、「民族」へも「階級」へも単一的に還元していくことなく、モンタージュしていく地点からいわれているとはまちがいない。「四捨五入」によって捨象された〝オキナワ的〟なるものを新たな視座で発見し直すこと――松島の沖青同への言及から見えてくるのは、沖縄の六〇年代の闇のなかに封印された「あまりにもオキナワ的なボク」や「もうひとつの私であるオキナワ」、そして〝オキナワ的〟と形容した「思惟方法」「現実意識」「存在形態とその把握」を組成し直すことであった。「四捨五入」してもなお残る残余を、構成的闘争に差し向け、主体化の理路を変えていこうとする問題意識があったはずである。「沖縄人」と「プロレタリアート」をモンタージュすること、その変成と編成はまぎれもない、復帰運動の終焉と戦後沖縄の主体化の政治と思想の批判的乗り越えでもあった。

ここで松島が沖縄の人間の精神構造について「帰るべき祖国」をもたないことと、「〈第三世界〉のそれと似ている」と語っていたことへ立ち入ってみたい。現実の〈第三世界〉の解放闘争が民族と国家を獲得する、つまり「祖国」を建設する運動であるならば、沖縄の〈第三世界〉性は、複数の国家の覇権によって内に包摂されながら外に排除されてきた経験とかかわっている。それはまた「どういう闘争の主体を形成するか、どういう主体でヒエラルヒーを爆破するか」というときの〝どういう〟の内実を問うものである。「祖国」復帰運動のナショナリズム批判によって獲得された認識の地平としての沖縄の〈第三世界性〉は、アメリカに対しても、日本に対してもノンを立てることであり、そのノンは「同時的」でかつ「永続的」でなければならない。

この両方への〈ノン〉と「永続革命」について、谷川健一は「復帰という対象があるから反復帰がというスローガンが出てくる」としながら、その反復帰に対しての「反反復帰、さらに反反反……」というありようを「無限旋律」という言い方をしてフォローしたが、それは松島の言を借りると「無数の内部と無数の外部を腑分けする」営為の読み換えでもあった。

こうした〈ノン〉の「無限旋律」を「民族・国民・帰属」（『序章』六号、七一年一〇月）では、国家間の覇権によって翻弄されてきた沖縄列島の民衆意識のありようを、「〈あれ〉か〈これか〉という価値尺度よりも〈あれでもある〉〈これでもある〉あるいは〈あれでもない〉〈これでもない〉」とした構造のうちに見ていた。ここでは〈ノン〉の「無限旋律」は、否定の連鎖に繋ぎ止められることではなく、〈ウイ〉を呼び寄せ〈ノン〉と〈ウイ〉が反転しつつ、あたかも中動態の様相を呈していることである。〈あれ〉と〈これ〉を二元もしくは二価のいずれかに還元することなく、相互に代入し合い決定を複数化していくようにも思える。

何とも煮え切れない矛盾した態度のようにみえもするだろう。しかし考えてみれば、大国の恣意でいく度も境界を書き換えられてきた沖縄の〝主体化の思想〟は、カール・シュミットが自他を截然と割った〈敵―味方〉論では枠取れない多声的で中動態ともとれる方法を錬成していく以外ないように思える。松島はこのことに意識的だったということである。この〈あいだ〉の方法を国民化と帰属の問題にも応用し、「半亡命者的立場」だとも言っていた。たとえばこんな言葉にしていた。「『国民ニ非ラザレバ人ニ非ラズ』＝『日本国内であり日本国民である』⇕『日本国民ではあるが日本人ではない』『日本国民ではあるが日本国内ではない』『日本国民ではないが日本国内である』」と。民族・国家との包摂と排除のねじれた関係として捉え、それを還元主義的ではない方法で止揚しうるかの問題だとして論を結んでいた。この結語はこの論考の冒頭部で記した「〈沖縄人とは、ひとつの民族のことではない。それは、日本（民族・国家・国民）にとっての他者なのである〉と。／そしてそこから我々は、国家にとっての他者を逆転せしめる科学性、歴史性を、沖縄人プロレタリアートとして獲得した」、その〝他者〟と〝逆転〟の内実を開き、解き放つことでもあった。

思い起こしてみたい。中屋幸吉の「世界をオキナワからみてはいけないか。世界の内部にオキナワがあるとして……」という未完のつぶやきを。この未完のつぶやきを「沖縄人プロレタリアートは世界革命に向けて自己を垂直に飛翔させなければならない」（「何故　沖縄人か」の結語）という一行へと連接させた、とたしかにいえよう。これは重構造化した主体の解き放ちを水平軸から垂直軸に飛躍させることを意味するが、〝逆転〟の到達点と読むこともできる。だが、疼く心とともに知らされることになるだろう。松島朝義が帰還と脱出を繰り返した〈沖縄〉という共同幻想も、無数の内部と外部を腑分けして摑み取った解放の理論と主体化の思想も、ポスト復帰の時空においては逆に沖縄の内部の「他者」となって漂流し、亡命を余儀なくさせられていることを。

音で書いたオキナワン・サーガ

何の前触れもなく、唐突に、むこうからやってきた。アコースティックギターが奏でるアルペジオに乗って、気配のようにひそやかに歌の扉を開き、次第に熱を帯びながらうねり、やがて鼓動を呼び入れ、叫びへと凝集していく、そんな声と音の運動性。事故のような出会いとは、おそらくこのようなことを指して言うのだろう。一九七二年の暮れのことだった。

♪わったあ島や　沖縄ぬ
コザの街るやいびいしが
中の町んかいやぁぐゎかとうる
いっぺぇボーチラーワラバーやさ

佐渡山豊の「ドゥーチュイムニー」である。いきなりのウチナーグチが曲調を波立たせ、音の風景を色づかせる。不意打ちのような始まりであったが、聴く者の心根をむんずと摑んだ。「ぐすうようくうてんぐゎあ聴ちみそうりよ／ボーチラーワラバーぬどぅちゅいむにぃー／ちんだみぬちがいやがまんそうきよー／歌ぐゎあぬ意味やわかてぃきれー」（みなさんちょっと聴いてくれ／ひねくれたガキの独り言／調子のはずれは我慢してくれ／詩の意味だけはわかってくれ）と波うっていくドライブ感は、これまで聴いた沖縄の歌とは何かが決定的に違う。その〝何か〟とは、一義的に特定できるものではなかったが、不意を衝く導入から曲の合い間合い間に異化するように参入してくる沖縄語の律動やラディカルな曲想、憂いと怒りを帯電させた歌唱からくるようにも思えた。この沖縄語を取り入れた作詞の思想には、少年期に沖縄の言葉を禁じられたことやアメリカ占領下の二重三重に力が絡まり合う〝例外状態〟を生かされたこと、つまり、日本語（標準語とか共通語とも言われた）と沖縄語、アメリカと日本との狭間を経験したことによる言語感覚があった。だからだろうか、二五番からなる歌詞と九分に及ぶ曲はまるで旅するサーガのように思えた。

「ドゥーチュイムニー」とは、「独りごと」を意味するが、まぎれもないそれは沖縄の戦後世代の狭間の意識から生まれた歌にちがいない。世間の常識や安定に対する反抗と自由への憧憬、青年期特有の衒いや誇張があるにしても、ひとたび佐渡山の声に運ばれるとき別の生命をもった生きもののように聴く者を衝迫する。この響きの質を考えようとするとき、見落としてはならないのは、この歌が沖縄の施政権がアメリカから日本に移管される一九七二年五月の「復帰」直前に生まれたことである。注意深い聴き手ならば、この歌の歌詞やフレージングに「日本復帰」にたいする異和が折り込まれていることを読み取るだろう。うねっていく音声の極みの「もしもあんたが　時間の果ての／ガケップチに　立たされて／死なきゃならぬ　定めなら／誰の名前を呼ぶだろう」と問いかけた一節の〈時間の果て〉と〈ガケップチ〉で呼ばれた名前はよもや「祖国」や「日本」であるはずはなかった。そんな〈果て〉と〈ガケップチ〉を佐渡山は喉を締めあげるように絶唱する。

「ドゥーチュイムニー」を始発にして、詞を書き、曲を作り、歌う、シンガーソングライターとしての佐渡山豊の遍歴は、沖縄フォーク村の活動と重なるように「復帰」前後の転形期の激動をくぐり、翌七三年に日本本土でデビューを果たすも日本各地を放浪。七八年に沖縄に帰るが音楽活動を停止、二〇年の沈黙ののち九七年にアルバム『さよならおきなわ』を発表、活動を再開し、今に至る。佐渡山豊の歌を聴くことは、自分のなかの戦後体験、換言すれば〈沖縄〉と〈ＯＫＩＮＡＷＡ〉と〈おきなわ〉のコンタクトゾーンに出会い直すことであり、佐渡山豊という音の旅人が書いたサーガを生き直すことでもある。

沖縄戦後世代が開いたサウンドスケープ

「ドゥーチュイムニィー」は、一九七二年七月に佐渡山豊をはじめ一〇人の沖縄フォーク村のメンバーによるオムニバス『唄の市　沖縄フォーク村』（エレックレコード）の劈頭を飾っている。最初に配されたのは、おそらく佐渡山豊が沖縄フォーク村の〝村長〟だということからの配慮もあっただろうが、それ以上にこの曲のもつインパクトがそうさせたのだろう。七二年二月にギター二本にヴォーカルのグループを解散してソロとしての初めての曲だとされることから、「第三の琉球処分」とも言われた一九七二年五月の日本復帰＝沖縄併合のまさに直前だということになる。

翌七三年に発表されたファーストアルバム『世間知らずの佐渡山豊』（エレックレコード、一九七三年）のライナーノーツを書いた富沢一誠の「歌わずにはいられない（ワッタア島、沖縄）――佐渡山豊物語」は、佐渡山が渦中にいた「復帰」前後のゆれ動く時代状況や二十歳のとき、ドライブ中のラジオから流れてくる岡林信康の「私たちの望むものは」に衝撃を受け、その数日後に「沖縄は混血児」が生まれたこと、沖縄フォーク村の活動や佐渡山のその後の人生を変えることになった、ラジオ沖縄のスタジオで「ドゥーチュイムニー」を歌っているとき、たまたま居合わせたＴＢＳの俊腕ディレクターに見いだされて、『唄の市　沖縄フォーク村』が生まれ、「本土」デビューを果たすことになったことなどが紹介されていた。シンガーソングライター・佐渡山豊の誕生を知ることができる、いまとなっては貴重な記録になっている。

立ち止まってみたいのは、富沢がメッセージ性の強さと絶叫するような歌い方にショックを受け、なぜあのような唄を歌うようになったのかという問いかけに対する佐渡山の答えである。すなわち、沖縄がおかれた沸騰する状況にあっても若者が思っていることを発表する場がないこと、デモや集会で言いたいことはいっぱいありながら、いざというとき舌ったらずになってしまうこと、などを挙げていた。しかし肝心なところは次の個所である。「そうなんです。僕にできる《表現手段》は歌しかない、歌こそ僕の、ほとんど唯一の《ことば》なんだ、ということに気がついたんです」。

ここで言われている《ことば》は「歌」の言い換えになっているが、その前の言からして複数の理由が含みもたされていることがわかる。沖縄の「若者」とは、沖縄戦終焉後に生まれ一〇代の後半から二〇年代初めにかけて一九七二年の「日本復帰」前後の政治の季節をくぐった世代のことで、その世代は基地やポップスとともに沖縄社会に喰い込んでくる〈アメリカ〉と、「沖縄を返せ」で歌われた〝民族の怒り〟に燃えた前世代の〝復帰イデオロギー〟の風圧をまともに受けて育っている。佐渡山において歌が「唯一の《ことば》」だということはそうした〈アメリカ〉と〝復帰イデオロギー〟によってもたらされた閉塞感や吃音状態を解くこととかかわっていた。《ことば》とは唯一性に還元されるものではなく、作詞と作曲と歌い手を通い合わすことであり、言葉とメロディーと歌い方を繋ぎ、総合するサウンド化を意味した。「ドゥーチュイムニー」が聴く者を衝迫するのは、まさにそのサウンド化の力にあると見なしてもよいだろう。

「布令」や「布告」によって例外状態を決定する金網の向こうのアメリカと日本復帰運動に体現された幻想の偏圧に抗うことは「独り言」とならざるを得なかった。独り言＝モノローグとは自己自身との対話でもあるが、そのことを通して〈もうひとつの沖縄〉と出会い直すことでもあった。この行為は沖縄戦後世代の独自な声を発明することにもつながった。わったー島ウチナーからコザの街へ、コザの街から中の町へと出自のミクロ政治の場へと降りていくこと、その後に続けた「いっぺぇ　ぼうちらぁ　わらばぁやさ」(とてもひねくれたガキだった)は、規律訓練へ囲い込まれない〝不良〟であることを闡明することだった。「ぼうちらぁ」としての出自と〝不良〟を揚言する導入をウチナーグチにした戦略に、佐渡山のサウンド化の思想を読むことができるだろう。そしてそこには独特なフレージングが鳴っていることも。

この歌がくぐろうとした時代性を響きのディスクールとして歌い上げたのは、〝風狂の唄者〟と呼ばれた嘉手苅林昌の「時代の流れ」のなかのよく知られた歌詞を援用し、それに一行を加えたところである。「時代の流れ」では「唐の世から　大和の世／大和の世から　アメリカ世／ひるまさ変わゆるくぬ沖縄」（中国の支配から日本の支配へ、日本の支配からアメリカの支配へ、どうしてこんなに変わっていくのだろうか）となっているが、それに続けて「アメリカ世から　またヤマトの世」の一行を加える。この一行の入力に、佐渡山と沖縄戦後世代の時代認識が凝縮されている。七二年の世替わりが日本への再併合であり「ひるまさ」（「めずらしく」の意味だが、それが強調されると「あきれるほど」になる）がいっそう際立たされるのだ。佐渡山はこの連を悲しみとも怒りともつかない声音で突き上げ、ぶちまける。

二五番からなる歌詞の構成上の特徴は、日本語と沖縄語の混成になっていることである。より精確にいうと、沖縄語のなかに日本語が、日本語のなかに沖縄語が挟まる入れ子構造になっていて、内容的には世間の常識や安逸な生き方への反抗、矛盾や不条理への問いかけ、夢と自由への憧憬など、いわばトピカルソングともプロテストソングとも分類することができるが、そうしたマーキングには収まりきれない響きの幅と深みをもっている。そうなるのは他でもない沖縄語のゲリラ的介入によるところが大きい。九番目の歌詞はこうなっている。

コザぬ夜やみいちらさん
口紅ブッタークワッターチキトルハーメーターが
メーナチ　いっしょうけんめい働きちょうしが
いちまで働けから休まりがや

「みぃちらさん」は「眩しすぎる」の意味で、「口紅ブッタークワッターチキトルハーメーター」は「口紅や白粉を塗りたくったおばさんたち」のこと。この連が混入することによって歌の流れが異化を呼び込みかつ陰翳を帯びていく。コザ、夜、年増の女、水商売、いわばサバルタン化された状況への憤りと女たちへの共感がウチナーグチで運ばれていくとき、日本語の抒情が破壊されるほどの強度を帯びる。水商売のための厚化粧とコザという混合都市と女たちの生きザマが複合されたウチナーグチ擬態語の「ブッタークワッター」の象徴と衝迫は、標準日本語の語彙をもってしては代えがたい。「ドゥーチュイムニー」が生まれた転形期の沖縄は、日本復帰運動によって封じられてきた覆いを脱ぎ捨てていこうとする試みが分野を横断してなされた時期でもあった。〈反復帰論〉が沖縄の政治・思想風土の病根を内在的に批判し、「オキナワの少年」で東峰夫が、種まく人のように沖縄コトバに息吹を与え、日本語の秩序をゆさぶり、沖縄青年同盟が沖縄返還協定を批准する「沖縄国会」の冒頭、「復帰」そのものに異議を唱え、逮捕・起訴された裁判で沖縄の言語で陳述を試みる、いわゆる沖縄語裁判闘争が取り組まれた。マスターナラティブの破れ目から鮮血のように流れ出した声とコトバの同時多発。

佐渡山豊のサウンドはそうした変わりゆく時代のただなかでのラディックスに確実に応援していた。そしてそれは「言語そのものの名によって人間から言語を奪うこと、すべての合法的殺人はそこから始まる」（ロラン・バルト『サド、フーリエ、ロヨラ』）という箴言のリアリティを、自らの戦後体験において直覚していたはずである。ウチナーグチを解き放つことによって音の風景を刷新していく「ドゥーチュイムニー」は、「合法的殺人」への不服従の歌であり、そこに独自のフレージングを聴き取ることができるだろう。

B♭のバラードと山之口貘をうたうこと

このフレージングを大胆に言い直せばB♭の節まわしだということができる。どういうことなのか。佐渡山豊は沖縄の複数のミュージシャンに五つの問いを投げかけ回答してもらう雑誌の特集企画（『EDGE』第六号、一九九八年）で、「沖縄音楽の個性」について興味深い回答をしていた。すなわち、「沖縄音楽の個性」はないが「琉球民謡の個性」ならあるとして、「(1)にリズム、(2)に音色、(3)番目に《B♭＝ビーフラット》」を挙げ、三番目の《B♭＝ビーフラット》についてこんな趣旨のことを述べていた。京都の友人のブルースシンガーが言うには、ニューヨークの街角で聴いた黒人のブルースは俺らがやっているブルースとは全然違う、Eの音が若干フラットする、と。その友人の言に、サテハと思い手持ちのレコードを注意深く聴いてみると、琉球民謡にもそれがあったことを発見する。ただし《E》ではなく《B》の音がフラットして聴こえる、と答えていた。

この《B♭＝ビーフラット》はよほど気になったのだろう、七五年七月のシングル盤『落日』のB面には「舌ったらずのアノコが　歌っているだろう／ほら聞こえるだろう／B♭のバラードが」と歌う「B♭のバラード」を入れていた。ここでの「舌ったらず」とは、誤解を恐れず言い直せば、標準語としての日本語の秩序からの逸脱であり、その逸脱がB♭になるということである。「舌ったらず」とはまた吃音性のことであり、吃音性とは抑止されてきた沖縄語の傷のことである、といってみたい。

この発見された《B♭＝ビーフラット》は、佐渡山が山之口貘の詩に曲をつけて歌う試みにも感じ取ることができるだろう。高田渡の監修による『貘―詩人・山之口貘をうたう』(B/C RECORD、一九九八年)は、高田渡をはじめ佐渡山豊、石垣勝治、大工哲弘、嘉手苅林次、大島保克&オルケスタ・ポレなどが貘の一八の詩に曲をつけて歌うトリビュートアルバムである。佐渡山は「貘」「会話」「紙の上」を選んでいる。この三つに〈私と沖縄と時代〉のトリアーデを読み取ったからにちがいない。

詩「貘」はこうである。夢を食って生きる架空の動物のバクを「動物博覧会」ではじめてみたが、豚と河馬とのあいのこみたいな図体で、夢ではなくほんものの果物やにんじんを食っていた。その夜、ぼくの夢に飢えた大きなバクが現われ、この世に悪夢があったとばかりに原子爆弾と水素爆弾をぺろっと食ったかとおもうと地球がぱっと明るくなった、という詩である。夢と現実、虚と真の境界が融解し、夢が現実のように、現実が夢のように反転していく。人間の想像が生んだ夢を食う動物貘と人間の究極の夢の兵器核、〈貘〉と〈核〉は、人間の自己疎外でもあるというブラックユーモアでくるんだところが秀逸である。

その「貘」と、戦争に傾いていく世情への詩人の孤独な抗いを「だだ、だだ」という擬態音を反復させながら朗唱していく「紙の上」は、たしかに曲をつけたと思わせる仕上りをみせている。「不憫な肉体／どもる思想／まるで沙漠にゐるようだ／インクに渇いたのどをかきむしり熱砂の上にすねかへる／その一匹の大きな舌足らず」に、「日の丸」が群れ飛ぶ時代にあって詩人のソフィティケートされた抗いを太い描線とウェーブ感のある楽曲に仕上げている。

だが「会話」の印象は違う。出だしと間奏に切分音のようなメロディーの印象的な一片を挟む以外、規則的にリズムを刻み、歌うのではなく呟きかける、いや、調子をつけて読むように唱える、どこか呪禱的な声の運びになっている。曲をつけるという創作的介入をぎりぎりのところで抑え、旋律になる直前の境界にとどまる。この歌ならぬ呟き、読むような唱えに、佐渡山独特のフレージングの原型に気づかされもするだろう。あの《B♭＝ビーフラット》としか言いようがない読点である。

「お国は？」と女が問うところからはじまる「会話」は、「さて、僕の国はどこなんだか」と自問し、すぐに答えることはない。すぐに答えないのは「お国」を明かすことがどのようなまなざしの暴力を招き寄せるのかを知り抜いているからである。男が採った方法は「お国」に向けられたマスイメージをなぞり返し、提喩や換喩で出自を隠すことだった。だから女が受け取るのは「ずっとむかう」とか「南方」、「亜熱帯」とか「赤道直下のあの近所」となり、その手前の自問自答で男が想起するのは「図案のやうな風俗をしてゐる」とか「憂鬱な方角を習慣してゐる」、「世間の既成概念達が寄留する」とか「世間の偏見達が眺める」というような〈僕の国〉に向けられたイメージの集積である。

佐渡山がリズムを刻みながら読むように唱える呪禱的な声の運びにしたのは、そんな複雑な構造ゆえのことだった。「お国」を《沖縄・琉球》と言えないがゆえに、内にこもるモノローグとならざるを得なかった。「会話」は、実は、貘の「ドゥーチュイムニィー」だった、ということに思い至る。

貘の詩に曲をつけることによって佐渡山が成そうとしたのは、日本本土を漂流する沖縄出身者の内部の声を救い上げることだった。「会話」のなかの〈独り言〉、「紙の上」の〈どもる思想〉や〈一匹の大きな舌足らず〉と向き合い、音のコトバにする。

そしてもうひとつ、「弾を浴びた島」があった。二〇二〇年にリリースされたアルバム『やっとみつけたよ』で拾われている、貘の詩のなかでもよく知られた一篇である。故郷を離れて三〇数年ぶりに帰郷した山之口貘の沖縄語と、出迎えた人たちが返した日本語、貘の戸惑った郷愁と出迎えた沖縄の人たちの苦笑、「ウチナーグチマディン　ムル／イクサニ　サッタルバスイ」（沖縄の言葉までも、すべて戦争でやられてしまったのか）と発した嘆息に、喪失感の大きさを知ることができるが、貘の座礁した郷愁にウチナーグチがくぐろうとしている臨界点を読むことができるだろう。

佐渡山にとって《山之口貘をうたう》こととは、こうした沖縄のコトバの〈きわ〉と沖縄が行こうとする〈どこへ〉を辿り直すことでもあった。アルバム『HIRIHIRI』（FLYING PUBLISHERS、二〇〇四年）のために〈Mr. D〉の名に擬して書いた「Mr.D、その視線と記憶のバラード」のなかで、「言葉を規制するキマリ」があった記憶を思い起こし「大事な時期に普段の会話の道具である方言（沖縄語）の使用を禁止され、言語障害になり無口になり、自己表現が出来なくなっていた」と述べているところがある。山之口貘の詩を音によって解釈することとは、佐渡山自身の言語障害としての〈無口〉や〈吃音〉と向き合い直すことでもあった。そして私は確信する。佐渡山が己のなかにB♭を発見したように、貘の詩がB♭する繊細な刹那を内耳の奥で聴き取ったにちがいないことを。

フェンスをめぐる視線の交差とテロルの幻景

二〇二〇年は戦後沖縄の最大の大衆反乱とも言われたコザ暴動から五〇年ということもあって、佐渡山豊の「焼打ち通りのバラード」が注目され、話題になった。自身の暴動体験や曲が生まれた事情など、沖縄タイムスや琉球新報の地元二紙に限らず、「本土」紙でもインタビューに応じたり、文を寄せてもいる。この曲は『もっと近くへ』(ポリドール、一九七五年)では「ROUTE24 1970冬」となっているが、『空っぽの空から』(トランジスターレコード、二〇〇一年)では「焼打ち通りのバラード」に曲名を変えている。

琉球大学一年のときに友人たちと暴動に加わった経験をもとにして作られたこの曲は、運転免許取りたての「僕」が車が欲しくなってイライラしながら街をぶらつくうちに、焼き討ちへと至る流れを何かに急き立てられていくようなスキゾフレニックなスピード感で歌い上げている。この歌で注目すべきなのは「焼き討ち」そのものではない。金網の向こうからこちらをまなざす視線を造型したことにある。これによってこちらとむこうの異なる二つの視線が交差し、装置としてのフェンスの存在を浮かび上がらせている。ただ二つの視線はけっして対等なものではなく、一方が他方に対して抑圧的である。向こうからの目が「睨む」という表現になるのはその一方通行性が含意されているからであろう。

たとえば、ゲート通りからライカムあたりに来たところで「僕」は「君」を見た。その「君」は「銀のドレスを身に着けて仕合せそうだったね／君はカナアミの向こうから黙ってこちらを睨んでいた」となり、焼き打ち通りの騒乱のなかにあっても変わらずに銀のドレスを着けたままカナアミの向こうから黙ってこちらを睨んでいた、というように。とはいえ、謎を残すのはなぜ女性をイメージさせたかということである。おそらく、と推測してみる。基地―暴力―男性として自動記述されていくコードには回収し得ない沖縄戦後世代の経験と感受性の質を示したかったのではないか、と。戦前、戦中世代が〝民族の怒り〟を〈日本〉によって培養することで〈アメリカ〉へ対抗したとすれば、基地の街で生まれ、育った佐渡山にとってフェンスの向こうの〈アメリカ〉は暴力とポップスの二つの貌をもって、威圧すると同時に浸入してくる強度として感受された、という違いははっきりしている。「睨む」と「銀のドレス」という一見して矛盾するような表現をとったのはそうしたアンビヴァレンツとかかわっているということになるだろう。

金網の向こうから睨まれ、金網によって阻まれた視野は解き放たなければならない。「ROUTE24 1970冬」が「焼き打ち通りのバラード」に変わったのは単なる曲名の変更にとどまらず、金網を張り巡らす構造が依然として変わっていないことを暮らしの日常のなかで知らされたからであろう。一度は断念し、長きに渡って沈黙していた音楽活動を再開するにあたって、このことを避けて通ることはできなかった。そしてここでは、けっして表には出されることはないが、一九九五年の米兵による少女暴行事件の衝撃が、若き佐渡山をフェンスの向こうから睨んだ「目」と「銀のドレス」ともう一度向き合うことを迫った、という推測を拒むことはできない。この向き合い直しが「ROUTE24

1970冬」を「焼き打ち通りのバラード」として名づけ直すことになった、ということになるだろう。

「焼き打ち通りのバラード」は、沖縄の音楽シーンではじめてフェンスの向こうの視線を対象化したという意味で、文学における又吉栄喜の「ジョージが射殺した猪」とともに記憶に止めおかれるべき楽曲である。「ジョージが射殺した猪」がそうだったように、フェンスの向こうとこちらとは睨む／睨まれる、殺す／殺されるむき出しの関係にあり、佐渡山豊の「焼き打ち通りのバラード」でも「僕は必死でその視線から逃れようとしたけれど／君はまるで獲物を見つけたハブのように睨んでた」と、「君」と「僕」の間の非対称が直視されていた。ただ「焼き打ち通りのバラード」の独自性があるとすれば先に触れた「銀のドレス」をみたことである。その「しみったれたヤブニラミ」が何を考え、どうしようとしているのか、僕を悩ますにしても、「銀のドレス」という言葉を生んだことに前世代にはない沖縄戦後世代の想像力のセンスがあった。「銀のドレス」とはフェンスをまとった、というよりも、フェンスなしには存在しえないマテリアルな風景の象徴だといえないだろうか。

「コザ暴動」は溜め込まれた被虐の体験を大衆反乱という形で解き放ち、フェンスをめぐるまなざしの政治と軍事植民地的な力の布置を変えようとした。そこに「誰だってこのカナアミからは解放されてもいい筈だ　だから僕のこの生命までは君にゃ奪えない筈」という、金網の向こうへの抗いの原衝動は表出されなければなかったのだ。金網は囲い込みと排除の消しようもない具象であり、そのゆえにひとびとの意識のありようをも深く拘束する。小説家の東峰夫は「島でのさようなら」の冒頭で、「どこかに向かってまっすぐに歩いていくと、基地の金網にぶつかる、金網にぶつからなければ海へつきでてしまう」とこの島の視野を阻む元凶をずばり言い当てていたが、土地と土地、人と人を分け隔てたフェンスは、裂傷のように沖縄の風景のなかに居座り続けてきた。

基地の街コザに生まれ育った佐渡山は、こちらと向こうを隔てる金網によって仕切られた力の偏差にとりわけ敏感だった。このフェンスのある風景をサウンドスケープとして自覚的に描き入れたのは佐渡山においてはじめてである。ファーストアルバム『世間知らずの佐渡山豊』のなかに収録された「僕はもう泣かない」で、母親がアメリカの兵隊に殺された、「兵隊は逃げた　あのカナアミに」と歌っていたが、「焼き打ち通りのバラード」では、見てきた通り金網の向こうから黙ってこちらを睨んでいた「君」を対象化した。『時間のカケラ』（ポニー・キャニオン、二〇〇九年）のなかの「デッサンⅡ」では、「OKINAWA OKINAWA I'v seen your light in the twilight memory」をリピートし、ブルースのノリで「フェンスの中　丘の上白い家／空はまだ　ラプコンのシステムの中／この島の日常さえも　奴らは空転させる」という歌詞に、地上だけではなく空域も囲い込んでいる一望監視的な基地権力の存在に目を据えていた。最後は「フェンスの向こう／相変わらずジャーマンシェパードの世界／人間というちっぽけな現実にぶら下がっている／そこはまるで植民地の中さ　エンパイアなのさ」と言い切っていた。〈植民地の中〉は佐渡山のフェンスをめぐる認識の到達点だといえよう。

そして「第3ゲート」。「知花十字路から　池武当に向かって　突き当りの74号を右に折れ／金網に沿って　ゆるいカーブを曲がれば　そこにあるんだ第3ゲート」と誘い込むように入るこの曲は、米兵によって引き起こされた、多くの事件事故と死者たちの無念を記憶し追悼するように読み上げるナレーションを間に挟み、第3ゲートの内と外に隔てられた金網をめぐる原風景に行き着く。それは、第3ゲートのなかには小学校まで可愛がってくれたおばぁの墓があり、おばぁの話をたどればそこは囲いのない古里があったことである。その原風景が光源となって金網を張った不条理があからさまにされ、それへの対抗がイメージ化される。佐渡山は、哀しみと怒りが繊細に縫い合わされた声で朗唱していく。〈ギターケースの中に入れた赤花〉と〈あさもやの中の真っ白いジープ〉の対照的なイメージが緊張感を孕む。〈赤花〉はおばぁへの哀悼と鎮魂の喩であり、〈真っ白いジープ〉は無数の死をもたらす軍事的な暴力の喩のように思える。だから「ダンボールにかくしたダイナマイト」が対抗的イメージとして装着されるのだろう。

第3ゲートでまちぶせて　金網をはらせた奴らに届けるんだ
オレンジ色した　朝焼けのまちに　昇る朝日のまぶしさを
第3ゲートでつかまえてよ　そこから古里がみえたなら
金網の上でまだ　さまよってる者たちに　おばぁの思いを伝えるんだ

ここには「焼き打ち通りのバラード」の金網の向こうから睨む目への強迫観念はなく、主体化された鎮魂と解放への意志がある。「オレンジ色した　朝焼けのまちに　昇る朝日のまぶしさ」を届けるという詩的ヴィジョンに転生したテロルを想起させられるが、「金網の上でまだ　さまよってる者たち」を鎮めることができるのは、金網のない古里への「おばぁの思い」である。この曲はフェンスをめぐる力関係を書き換えたという意味でも画期を印している。フェンスは〈アメリカ〉と沖縄社会が接触する境界であるが、沖縄社会への禁止と防御の具体物であり、沖縄社会からの避難所であり特権が存在する意味の制度空間でもある。東峰夫の「島でのさようなら」の冒頭で視界を遮ったフェンスや又吉栄喜の「ジョージが射殺した猪」で内向的なアメリカ兵の鬱屈のはけ口を、フェンスの影でスクラップ拾いをしていた婦人を「猪」だと見なし射殺することで解き放ち、殺人を犯してもその罪はフェンスによって打ち消されると踏んでいたこと、そうしたこれまでの金網をめぐる政治を逆転させた。

米軍統治下の事件事故とその死者たちを伝えるナレーションの最後は「1972年5月15日　沖縄本土に返還」という言葉で締めくくられ、もう一度冒頭の歌詞が挿入される。このシチュエーションが言わんとするのは、施政権返還後も「第3ゲート」は残り続けていくということである。そしてその後はただ「1980年……／1990年……／2000年……／2008年……」という復帰後のディケイド（二〇〇八年はこの曲ができた年だと思われる）が読まれるだけである。この一〇年単位の無機的な経年が何を意味するのかは、あえて沈黙の言語を介在させることによって、聴く者の想像力へと問いかけている。語らないことによって語る、それをギター一本のインストルメントによって静かに反復してみせた。

これはどういうことだろうか。復帰翌年に出されたファーストアルバムのなかの「沖縄は混血児」の最後の一節を思い出してみるべきだろうか。そこには「ところで俺達の住んでいるこの島は本当はどこの国のもの／ひるがえる国旗は日の丸と星じょう旗／まるで沖縄はあいの子みたい」となっていたが、施政権返還によって星条旗がおろされたわけではなく、日の丸が加わり〈アメリカ〉と〈日本〉が共犯する制度空間となった。「第3ゲート」はおばぁの思いと金網の上でさまよっている死者たちへの鎮魂と金網をはらせた奴らへの、歌によって遂行されたテロルでもあった。「焼き打ち通りのバラード」が「銀のドレス」に象徴化されたマテリアルな風景へのスキゾフレニックな叛乱だとすれば、「第3ゲート」はフェンスの向こうではためく星条旗と日の丸の共犯の風景への遊撃であり、沈黙の譜面に書いた蜂起の予感でもあった。

『さよならおきなわ』をめぐる命名の政治

ところで、佐渡山豊が二〇年の沈黙を破って活動を再開したアルバムを『さよならおきなわ』にしたのはなぜだろうか。むろん、韜晦や逆説を弄しているわけではなかった。この名づけに、佐渡山は歌の旅の結節を周到に印しづけていた。このアルバムにはアメリカへの旅を歌った「アラスカ」をはじめ、「51番目の夏」や「ドゥーチュイムニー」や「酔っぱらい・2006年」、新屋敷幸繁の詩に曲をつけた「日本語のいやはて」や琉球民謡歌手の大城美佐子とのデュエット「じゅりぐぁ小唄」、「追憶の一号線」や「会話」など一三曲が収録されている。そして最後に配されているのが表題と同じ「さよならおきなわ」であった。見ての通り、新曲もあるがほとんどはリメイクである。リメイクにしても、新たな解釈が加えられていることとその選曲に、再開に込めた思いをみてもよいだろう。アルバムタイトルにもなった「さよならおきなわ」は強いメッセージが込められている曲名である。

実はこの曲は「変わりゆく時代の中で」のヴァリアントなのである。しかも沖縄・琉球語ヴァージョンにしたことに、佐渡山の二〇年の沈黙のなかで起こったであろう劇性と活動を再開する意図が隠されているようにも思える。ここにも「ROUTE24　1970冬」を「焼き打ち通りのバラード」に変えたと同様な事情を読み取ることができるのかもしれない。その事情とは、名をめぐる政治ということができる。佐渡山の《ことば》の思想はこのことにとりわけ敏感に反応している。では、「変わりゆく時代の中で」を「さよならおきなわ」に変えたのは何か？　この曲の場合は、第一に、沖縄のコトバが辿った受苦の経験と沖縄・琉球語のもつ力を再認識したことであり、第二に、音楽活動をやめた沈黙の時間とポスト「復帰」の変わっていく時代のなかでの変わらぬ構造を見つめ直したこととかかわっている。注意を払いたいのは、沖縄・琉球語ヴァージョンだからといってそこにアルカイックなものへの回帰を、変わらぬ構造があるからといってもそこに後ろ向きの固着をみるべきではない。そうではなく、それは認識論的転換と深化であって、その意味でその転換と深化は変わるためのシーニュであるといわなければならないだろう。いわばこの楽曲は《ことば》をめぐる思想と響きを更新していくサウンド化の力として聴き取ることができるはずだ。

根ぬ芯ぬあてぃどう　花んまた咲ちゅる
時（とぅち）や　走馬（はいんま）ぬぐとぅに流り
変わりゆくこの時代の中で
生ち居（う）る証し　二人（たい）し立てぃら

我した島や　雨嵐吹ちゃい
人ぬ心や　北風（にしかじ）ぬ　ひいさ
くぬ地球（フシ）ぬ明日（あちゃ）や　いちゃし定みゆら
今日（ちゅう）や　あかがとぅみ　天ぬ北極星（にぬふぁぶし）

「変わりゆく時代の中で」は、ボブ・ディランの「風に吹かれて」と「時代は変わる」からの谺を聴き取ることができるが、ビセカツの訳詞は島唄の思念によって翻案したもので、佐渡山もゆるやかに時を紡ぐように歌いまわして心に沁みる。音の風景が劇的に変容し、響きもまた更新される。これは佐渡山自身の〝かつて〟へのトリビュートでもある。だとすると、なぜ〈おきなわ〉であり、その〈おきなわ〉になぜ〈さよなら〉しなければならなかったのだろうか。こう問うとき、「ドゥーチュイムニィー」のはじめに唐（中国）の世↓ヤマト（日本）の世↓アメリカ世と世替わりを歌った元歌に、アメリカ世からふたたびヤマト世に変わった一行を加えたことの認識の更新が、「第3ゲート」のちょうど折り返し点に「一九七二年五月一五日、沖縄、日本に返還」のナレーションを挟んだことのわけがより明確に浮かび上がってくるようだ。ふたたびヤマト世に変わることは〈おきなわ〉という平仮名に変わることでもあった。つまり、日本「本土」との系列化や一体化によってこの島々をフレーミングしていることを名づけ返すこと。もっと強い言葉でいえば、逆なですること。〈さよなら〉とはその逆なでする行為をともなっていた。〈沖縄〉と〈OKINAWA〉ないしは〈オキナワ〉が〈おきなわ〉に変わること、いわば「一九七二年五月一五日」とはまた命名をめぐるポリティックスでもあったということなのだ。佐渡山のなかでは、明治の大和世になって〈琉球〉が〈沖縄〉に、敗戦後のアメリカ世になってからは逆に〈沖縄〉が〈琉球〉あるいは〝オキナワ〟に変えられたことが意識されていたはずである。

〈おきなわ〉への〈さよなら〉は再開と再出発のための名をめぐる政治の刷新を伴うことにもなった。いかにもコトバ遊びを弄しているようにみえるが、そうではない。アルバム『さよならおきなわ』には、佐渡山の鋭敏で繊細な《ことば》をめぐるミクロ政治の力線が通されている。そして佐渡山はその先を示唆するところまでいく。〈さよなら〉した〈おきなわ〉の後に呼び戻されるのは「沖縄」ではない。もっと別の新しい何か。その〈何か〉は、今は名づけえないにしても、〝アナザー〈オキナワ〉〟としかいいようがない第三の空間、すなわち「変わりゆく時代の中で」の〝トリビュート〟という形式を借りた、しかも〝ウチナーグチヴァージョン〟であることによって招き寄せられる残影と残響の〈あいだ〉に未知を採譜していくサウンド化の内に予感されている力とでもいおうか。

二〇年の沈黙を挟み、詞を書き、曲にし、歌う、佐渡山豊の《ことば》への旅は、沖縄の戦後世代の経験と言語感覚を上り下りしつつ遠くまで辿り、〈沖縄〉と〈OKINAWA〉と〈おきなわ〉のトリアーデを往還する、まさに音で書いたオキナワンサーガであった。

季節風に吹かれ、カフカ的に

常に生活の中にあって、驚きに積極的に遭遇しようとするカフカ的姿勢——と島尾伸三の写真家としての特性を評したのは西井一夫だった。これは写文集として同時刊行された『季節風』と『生活』（みすず書房、一九九五年）の書評の中でいわれたものである。それぞれの副題を「照片雑文★☆」「照片雑文★★」という、何やら幻術をかけるような記号を挟んだことでそう評したわけではもちろんないだろうが、西井の評言には物語や意味へと囲い込まれることを拒む、ささいな現象や小さき者（物）や見捨てられたものへと注がれていくまなざしとかかわっていることはまちがいない。だがあえて追言しておきたいのは、「カフカ的姿勢」というときの〈カフカ的〉には、島尾の日常への適合や人と人との関係を損なってしまったのではないか、という怖れのような心の傾きを心奥にもってしまっていることを抜きにしては考えられないということである。そのことが視覚に運び込まれ、日常のなかでの驚きに遭遇させるということなのだろう。

島尾が写真について考え、論じている文でたびたび使われる「第三信号系」という謎めいた言葉にしても、おそらくそうした驚きの遭遇とそれを屈曲させざるを得ない回路を指していっているはずである。自らをキュウリと名のり、妻を西洋ナシ、娘を青磁のニンフと名づけ、家族の周辺や友人知人を青トマトやナスやアオマメやジャガイモ、ナイフとフォークのカップルやセミとバッタの兄弟などとデフォルメするのも、幼少のころ家族を危機におとしいれた災厄に淵源する原生的受苦や疎外感と無縁ではないように思える。「です・ます」調の敬体で通すのも現実とうまく調和できないことからくる衒いの一種のデフォルメーションだと見なしても的を外したことにはならないだろう。

『季節風』と『生活』は、モノクロームの写真が醸し出す陰翳と内側へ沈んでいくような内向的なエッセイから成る。奄美大島からアジアのモンスーン地帯への旅とその折々の回想、幼少の眼で辿った小説家の父と心病む母への屈折した思い、そして写真家の潮田登久子との出会いとその出会いから生まれた新しい家族の日常を、即物と抽象が無調のうちにこすれ合っているような文体と写体によって重合されている。この二つの〈照片〉と〈雑文〉、そしてその間に挟まれ起結を未明へと放擲するような掟破りのキャプションは、傷ついた心の省察としての島尾伸三版「ミニマ・モラリア」と見なすこともできようが、それよりもやはり「カフカ的」なるものが私には腑に落ちる。

『季節風』の冒頭の「予備反応」に収められた最初の「南南西の風」は、旅の「はじまり」を印しづけて印象深い。「マニラでは南南西の風、風力2……」という奄美大島での幼少期にしげく通った病院のラジオで聴いた沖縄のVOA（アメリカの声）から流れてくる天気情報から書き起こしていたが、それはまた少年と少年の家族に吹き荒れてくる心身の台風の予兆にもなっていた。母親が子供たちをモルモットのように病院へ連れていっては、ブドウ糖やビタミン剤の注射を要求し、子供たちの手や尻に針の穴が広がっていく様子を糧にしたこと、母親の無意識に吐き出す悪意に満ちた甘い息が、腐食を促進していくだろうこと、そして「ジンマシンのような緑の粒々の発疹が手足から始まり、やがて顔へと広がり、身体中が緑になってのたうち回るのです。この苦しみは母親の笑いを誘い、父親の無関心を呼ぶだけでした。子供の中には湿度の高い南南西の風が吹き、黴がじわじわと広がっていくのです」と結んだ身体反応は、少年が両親の気圧の谷になっているようで胸を衝かれる。少年のなかに吹く〈季節風〉と少年の身体に広がる〈黴〉や〈緑〉のイメージは鮮烈だが痛ましい。ラジオから流れてくるアジアモンスーンの風の向きと力はまた少年の心身の異変を呼び起こす予報でもあった。その異変が両親のあいだの棘とその棘がとりわけ母親の心を乱していることに起因していることを、子である兄と妹は知っていたがゆえに、災厄は二重にもつれていった。

それから大人になって、南南西の風が吹いているマニラと思われる街で知り合った日本人女性と夜の街へ繰り出した輪タクの「ノコノコ、ノコ、ノコ」のリズムと道の凹凸の揺れが発作を誘発させ、「湿気をたっぷりと含んだ生温かい夜風に吹かれているうちに、キュウリになってしまっていたのです」という変身譚は即物と抽象、現実と超現実の境を跨いで何食わぬ顔をする島尾の文体の妙味のうちに、亜熱帯の島からアジアへ移動した気圧の谷の軌跡を伝えているようで、これまた興味をそそる。キュウリになってしまっていたことの初発には、奄美大島での母親の無意識に吐き出す悪意によって身体中に広がった「緑の粒々」が、アジアモンスーンの湿気と生温かい風に吹かれて変身するのだ。「季節風のように、気まぐれな定期便が暗雲を運んで来ます。それは精神の地表を掻き乱し、神経の水系に反乱を招きました。そして黒い雨が深層心理（イド）へ良からぬ記憶を蓄積させるのでした」とした個所はまた、島尾の季節風への怯えの地勢にもなっているようだ。「神経の水系への反乱」は、フォト―グラフへも及び、曲率を描いて転写されるのだろう。
ここで少年期の奄美で聴いたVOAが何を伝えたのかをもう一度考え直してみよう。まず、VOAという電波の波はアメリカの軍事的・政治的覇権のネットワークに捕捉されていることであり、それは同時に、沖縄や奄美の亜熱帯の島々がアジアモンスーンの力と方位の及ぶ範囲というか、被写界深度の内にあるということでもあるといえよう。「身体中が緑になっていく」病理や「キュウリになってしまった」変身は、病む母親が吹きかける無意識の甘い息と、湿度を孕んだ季節風が相互に呼び合うところで生じる。「南南西の風、風力2……」という声に誘われ、台湾、香港、バンコク、クアラランプール、シンガポール、マニラといった都市やサバ、サクワラ、ブルネイ王国のジャングルの村への旅は、写真の自我と内なる風の地図への旅でもあった。

無調のオマージュと〈私写真〉の回帰線

「照片雑文★★」の『生活』は、島尾伸三の生き方を変え、写真へのはじまりの志を思い出させ、起立させもした写真家の潮田登久子との出会いと、彼女とともにもう一つの家族を作り、新しく生まれた命が運んでくるさざめきなど、日常の暮らしの周辺に集まるモノたちの息遣いを、『季節風』と同様に写文によって編んだものである。すぐに気づかされることは、島尾にとっての潮田登久子の存在のかけがえのなさである。そのかけがえのなさは、出会いを詩にしていることや「長年にわたって蓄積されたキュウリの精神の病は、彼女がいるだけで治癒の機会を得たのです」という言葉によって知らされる「治癒」に含み持たされている。だからこそ、感覚が復権したこと、光に音を、音に香りを、触覚に色を感じる幸せが蘇った、と追言したのだ。病の治癒と感覚の復権、それは紛れもない写真集『まほちゃん』（オシリス、二〇〇四年）の内側で発光しているセンシビリティであり、「あとがき」で書いた「わたしのモルギアナ」で臆面もなくと思わせもする、世間体や仮装を脱ぎ捨て恩寵を迎え入れるような、潮田登久子への無調のオマージュへと繋がっているはずだ。

『ひかりの引き出し』（青土社、一九九九年）の表紙に使われ、『生活』のなかでは［読書／すべてが支えあっている自然構造を、］のキャプション（以下、キャプションは引用と区別するためすべて角カッコにした）が添えられている、木目がそのままの床板で幼い娘を両脚で挟み『しろいうさぎとくろいうさぎ』の絵本を読み聞かせている母と子を正面の低い位置から撮った一枚は、取り戻した感覚においてはじめて可能となった〈モルギアナ〉だといえないだろうか。だがといおうか、それゆえにとでもいおうか、その左ページに、同じ場所ではあるが娘と同じ年頃の女の子が加わったところを背後から俯瞰し、［読書／気持ちが歌をうたわなくなって久しく、］の文が問いかけてくる内向に目を瞑るわけにはいかない。「キュウリは私」のなかの出会いの場面には「男は口を開こうとしましたが、声が出ずに口ごもっていると、女は箸で男の顔を突いて穴をあけ『ほら、喋れるようになったワ』。『ありがとう』。男はキュウリになっていることに気づきました。」という文の運びによって感受させる超現実主義的な転成があったことも。

とはいえ、ここでは内向を背後に退場させるほどの出会いに目を向けておくべきだろう。「男」が

「キュウリ」に変身する力の場、『季節風』のなかで病の症候を誘発したこととは逆に、治癒へと向かう寓意になっている違い、その違いを決したのは繰り返すようだが、一人の女性の存在であり、そのことが「深呼吸のできない水の中での緊張に代わり、手足の力を抜いても死の恐怖にさらされない安心が視野を広げた」ことを可能にしただけではなく、幼少の頃の水平と垂直を取り戻し、「内的均衡の天地さえもいい加減になっている耳鳴りのする今の景色とは大違いでした。お互いがお互いの環境に適応を完了させた一瞬でした」という場へと導く。島尾にとってはまさしく〈対〉と〈私写真〉の回帰線になったことは言を俟たないだろう。ひと組のペアの成立によって、〈私写真〉という領域が恩寵のように到来した、ということなのだ。

この島尾伸三の〈私写真〉が潮田登久子とペアを組んだこととけっして無縁ではないとするならば、父敏雄と母ミホとの〈対〉の愛憎相半ばする、いや愛憎という分かりやすい図式を破却していくような、穏やかな凪と激しい暴風が交差する「絶対性」とでもいうべき関係なしには生まれようがなかった稀有な〈私小説〉を思うとき、やはり「カフカ的」なる写真の特性に注意を払わざるをえない。『季節風』に挿入された写真が、アジアモンスーン地帯の景色を通過していくときに過敏になってくる動体視力や感情の波立ちをアレやブレなどによって捕捉しているとすれば、『生活』では妻の寝姿や娘の真帆が成長していくその折々に見せる仕草、そして天井や壁や板床の木目、乱雑に散らかったままの部屋や窓やスプーンやサラやコップ、机上の文房具や玩具などの生活の必要によって揃えられたモノたちを透明なメランコリーでくるむようにまなざす違いがある。

とりわけ印象的なのは、妻と娘のうたた寝を撮った複数枚である。もらい受けたホテルのベッドに横になる母娘の姿やストライプのパジャマ姿で昼寝する妻の手や足、やわらかく波打つ麻の上掛けなどを島尾のカメラは慈しむように撫でる。一九七七年一二月の日付からはじまる「西洋ナシ」との出会いのエッセイとともに「登久子さん／実存を前に五つの触覚があやふやになる。」のキャプションが付された、仰向けに横たわった横縞のパジャマ姿の画像は、刷毛で刷いたようなぼんやりとしてはいるが、そのことがかえって瑞々しい体の柔らかい輪郭をほのかに匂い立たせているショットから、重ねた生活の時間がそうさせたような、靴下を履いたまま寝ている姿まで、写真家であり妻でもある潮田登久子への、写真で綴った恋文だと見なしても穿ち過ぎにはならないはずだ。ページを繰る者はやわらかい微光に目の奥も火照る、そんな気分にさせる。そのとっておきが右ひじをついた手で顔を支えて横たわる母の腰に後背から顔を乗せた幼い娘とのツーショットである。右目の下に不釣り合いな白のバンドエイドのようなものを張った妻も、幼い体をあずける娘も、カメラに向かって微笑みかける親密さを醸し出しているが、「朝／羊は行き先も知らずに、」によってかすかな痛みが影のようによぎるのを覚える。これらの写真の傍に、暗い海を漂流する『死の棘』の家族の修羅が陰画のようにモンタージュされているのを見るのはけっして奇を衒うことにはならないはずだ。

「ひなたぼっこの幸福」という〈雑文〉には光と影、いや、光の中に影を、影の中に光を織り込み、そのことが透明感や静寂と安堵を招き寄せもするが、しかしちょっとしたきっかけで壊れてしまうことへの緊張と怖れを忍ばせてもいる。見開きに収めた「太陽の香りと虫の羽音が歯に沁み、」が添えられ、波のような麻布にくるまれた「昼寝する足」の写真と、母娘の「昼寝」に「ささやかな神秘に感謝できないか、」の文が織りなす複雑で繊細な光と影の紋様に、島尾のまなざしと写真の自我を垣間見ることはできないだろうか。

方法としての〈読点〉、〈原罪〉からの眼差《まなざ》し

『季節風』と『生活』はさしあたりフォト・エッセイといっておく。その形式は、まず写真があり、その写真を説明するキャプションが添えられ、その写真とキャプションに照応していくような文章によって構成されるのが普通である。しかし島尾伸三の〈照片雑文〉は、そうした出来合いの形式を逸脱する強い傾きと構えがある。写真とキャプションとエッセイは対応関係があるわけではなく、言葉は写真を説明したりなどはしないいし、写真もまた言葉を求めたりはしない。意味に閉じない読点は、不意の擦過傷か通り魔のように切れ目を入れる。ようするに、傷で書かれているのだ。この傷で書く、ということにおいて〈照片〉は際立つ。句点で終わる文もあるにはあるが、それさえも整合をとらず果てのない〈間〉に取り残され、漂うようだ。

関係なき関係とでもいうべき多義性に放たれ、途上を生きる言霊となって、読み手に謎をかけ共同の了解や心性の囲いを越えていく。繋辞や統辞のないエニグマのような〈照片〉と〈雑文〉の曲率にこそ〈カフカ的〉なるものが宿っているということだろう。［バンコク／見上げると天空の空気が渋くなっていいて、］とした読点止めのキャプションと写真ではじまる『季節風』では、たとえばこうなる。

［ケソン／景色が曲がったまま流れているようで、］
［バンコク／静寂が神経のひだに溜まった油を食べる音がする。］
［香港／覚醒など夢のまた夢なのに、］
［マニラ／影の内側から覗き見る仕草がなおらなくて、］
［台北／靴の泥が主人面して気持ちに居座っていて、］

これなどは「カフカ的」なるものを断片の力によって例示しているようにさえ思える。例外的に句点で閉じているものもあるにはあるが、そのほとんどは読点で裁ち落された短い言葉は謎のように写真の近傍を擦過していくようだ。アジアの都市と写真家の眼は、対応する説明装置を失い、そっぽを向いているようであり、撮る／撮られる関係を異化することによって実存の深いところで交信し合っているようでもある、そんな不可思議な印象を与える。言葉を換えれば、島尾の「私写真」においては、対応は例外であり、非対応が普通であるということになる。いや、それよりも、非対応においてこそ、それぞれの場所と時間は存在の核を顕わすということなのかもしれない。サドン・フィクションという分野があるという。短編のそのまた短編、だしぬけの一瞬のフィクションのようなもので、島尾のキャプションワークはさながらサドン・フィクションのような、しかも定型を逸脱したシュールな偏差を帯びる。

［東京／世田谷区・豪徳寺／目は足音を忍ばせ、］ではじまり、［野のユリのように。］で締める『生

活』には、たとえば見開きの右頁に［長女マホ・妻登久子・妹マヤ／彼女たちを無責任にかかえてしまったのです。］を、左頁に［世田谷線／三軒茶屋／運転席／その先には、あてのない未来が、］のキャプションを配しているところは写真との対応性があるにしても、ほとんどは捩れるかズレる、というか、凭れ合うことをきらう。煩わしさをいとわずもうすこし付き合ってみよう。

［香港からの手紙／無理に加速をつけようと、］
［義父の応接間／しかし、おびえていて、］
［子供が出かけた日／その向こうにだって、何もないのに、］
［おしめを干した自室／いいえ、解答は内包されているはず。］
［自室の夜／気持ちに風穴を開けられてしまったのか、］

と続く組合せなどは、写真と文がお互いを異化しつつ非決定の断面を接し、コプラなき隙間を創作する。その当てのなさは写真とエッセイの間にあって、文の尻尾を切り落としていくような読点の連鎖と意味への帰還を失くした極私的なモノローグによるものである。［蛍光灯／いつか火傷をするのです。］と句点で締めたにしても、写真と文はそれぞれ異なる系で境界を接し、容易には同一化しない。多くは読点が仕込んだ隙間で漂うか謎のような言葉の強度のままにさ迷う以外ない。

こうした読点止めのキャプションを連ね、意味や統辞性を欠いた〈照片〉と〈雑文〉の曲率の解をあえて求めるとすれば、島尾の写真考として読める『ひかりの引き出し』のなかに記された場所に出会う。

なるべく写真映像を単純にして、できるだけ象徴的な心象を排除し、記号だけが数少なく画面内に在るようにして、公的意味が発生しない配慮を行い、極私的なささいな気分の記憶として写真を扱おうとしている私の写真への態度と、小さな幸福を死守しようとする私の本能は、どこかで繋がっているのかもしれません。

これは一九七〇年代後半の同時代の写真の試みや「写真の自我」について触れているところであるが、島尾の写真の思想のエッセンスが言われていることと、同時に『季節風』や『生活』の〈照片〉と〈雑文〉とその間の〈読点〉の要諦を読み取ることもできよう。意味や象徴、繋辞や統辞性を屈曲させ、写真と文の関係を非決定の揺らぎへと送り返す、もしくはコンテクストを脱臼させていく。象徴化や公的意味の発生と還元を拒むこと、シンプルな記号に存在すること、極私的でささいな《気分》であること、だが、忘れてはならないのは「小さな幸福を死守しようとする私の本能」という個所である。黒い言葉を吐き続ける病む母と小説家の父との果てのない諍いが、子である伸三と妹の摩耶を暗い底なしの奈落へ突き落とした『死の棘』の災厄をくぐったからこそ、《気分の記憶》をあえて太字にしたその低い声音に運ばれるように「死守」が異様な強度を帯びていく印象を与える。ここでの「小さな幸福」とは「登久子さんと私にとって最高の喜びと贅沢」だとした「窓ぎわの日なたぼっこ」のことで、それは「ほんのちょっとした外圧で簡単に崩されてしまうからです」という危うい均衡のうえに保持されているという自覚に裏打ちされていた。だからこそその儚さは「死守」されなければならないし、「私の本能」とは、暗い夜の海に遭難した経験からくるものであるにちがいない。

　「私の写真の多くは、そんな彼女の日なたぼっこや子どもの遊んでいる様子なのです」と結んだ一節に、「海の水平線へ沈没していく月の家族からついに逃げだしました。妹を置き去りにしたまま」と書き込んだ『月の家族』（晶文社、一九九七年）の言葉を重ねるとき、そこに島尾伸三の〈私写真〉の原点に秘められた〝原罪〟としかいいようのない存在の傷を発見させられた気になる。ここでは「妹を置き去りにしたまま。」という一行が島尾の写真のフレームを律していることを知るだろう。『生活』や『まほちゃん』の写真たちが放つぬくもりと微光のなかに、妹摩耶の写真を招き入れるのも島尾の心奥でこだましている痛恨の一行を抜きにしてはあり得ない。「海の水平線へ沈没していく月の家族」から逃げ出したことを〈原罪〉のようにもってしまったことによって生まれた「第三信号系」の印画たち。潮田登久子を「わたしのモルギアナ」としたのもまた。

　そんな島尾の極私的写真をもっともよく表しているものとして、『生活』の「あとがき」の前に配し、句点で閉めた「野のユリのように。」のキャプションを付した一枚を挙げてみたい。『まほちゃん』でも拾われているが、潮田登久子が麻の上掛けで幼い娘の真帆をくるみ、その傍には同じ年頃の女の子がいる。両手で持ち上げた母もその隙間からアカンベーの舌を出している娘もカメラに向かって微笑み返している。「野のユリのように。」は、島尾にしては珍しく意味を呼び込んでいるように思えるが、そうではなく、写真が倫理を孕んだ稀有な一枚だというべきだろう。そしてその近傍には、病む母の毒を一身に受け、首や腰も曲がってしまった妹摩耶のさみしい笑顔が寄り添っていた。傷によって描かれた光画、そんな印象を与える一枚だ。

「生活 1979・1980」と「生活 1990-92」の試み

これまで見てきたように、島尾伸三の〈私写真〉を際立たせているのは〈方法としての読点〉による〈照片〉と〈雑文〉、光のカケラと文のノイズの境界の相互異化ということだが、この試みをはじめて採用したのは写真専門誌『写真装置』の創刊号（一九八〇年十二月）の巻頭を飾った「生活 1979・1980」においてであった。そのときの裏話をやはり写真専門の季刊誌『デジャ＝ヴュ』（第九号、一九九二年七月）の「特集：私生活」にナン・ゴールディンや荒木経惟とともに発表した「生活 1990-92」の関連インタビューで明かしていた。ちなみに同誌には特集とは別だが潮田登久子の「冷蔵庫」も収載されている。

掲載された「生活 1990-92」の写真と文章の構成が島尾独特のものだと感じているとする編集部の問いかけに対し「頼まれたから文章をつけただけで、写真だけで完結してもかまいません」とそっけない返事をしながら、『写真装置』の「生活 1979・1980」で文章をつけたのは島尾の意図ではなく、編集を担当した大島洋に頼まれ「慌てて三〇分ぐらいで一気に書いて渡したものです」とも応えていた。頼まれたからそうしただけということだが、しかし、その方法化された技が島尾のキャプションワークを他に類のない特性を画したとすれば、繰り返すまでもなく、統辞を脱臼させ問いかけを重ねていく〈読点〉に、入口と出口を謎にかけるような文体の異風にあった。この写真と文の構成ならぬ構成こそ、島尾の群写真の極私的魅力になっているといえよう。

「生活 1979・1980」と「生活 1990-92」は、それぞれ二八枚と三七枚の写真にキャプションが添えられている。いずれも島尾の家族とその周辺の日常を淡々と撮影したことに変わりはないが、注意深く見ていくと明らかな違いがあることに気づかされる。見逃せないのは、写真とキャプションの対応関係の差である。「生活 1979・1980」は、一連番号が打たれた写真に対して句点で締められた文によって説明されている。たとえば、都市の何でもない夜景には［2 借りた住まいだった部屋からの眺め、東側。］が、8の番号を持つ写真は［仮り住まいだった部屋からの眺め、西側。怪しげな気持ちを追い込むように空気が動いています。］のキャプションが、一六枚目は［真帆のおむつ。受け入れるというのではなく、やむ無く飲み込まざるを得なく追い込まれて。］が、二八枚目の哺乳瓶をしゃぶっている幼い娘とその娘に寄り添う妻の普段着の写真には［登久子と真帆。私は朝食と昼食が曖昧な日が多く、この振舞いが決して良かろうはずも無く。］というように、その時の気分を潜り込ませ、それがまた写真と無理なく対応している。

唯一読点にしているは七枚目の［それまでは自分の机という物があって、どうしてもカーテンの具合が気にかかって、］であるが、句点止めではあっても、後の『季節風』や『生活』に繋がる、容易には理解の網には収まらない、不安なゆれを帯びた文が複数あり、とりわけ両親と妹摩耶を撮った写真にその感を強く抱かされる。樹木に囲われた玄関に、チェックのワンピース姿でうつむいた横向きの妹の写真につけたキャプションは［妹、摩耶。人を閉じ込めて置こうとするのは、建物自身が人の気を食用としているからなのです。］となっている。夕暮れとおぼしき逆光に収めた一枚には［両親の住む借家の庭から。天空までもが覆い被さる様に在ると受け取れてしまうのだから。］となっていて、さらに見開きで配された二つの写真の、白い中折れ帽子を被り白の半そでシャツと黒のズボンに黒の革靴で決めた父敏雄、白い靴を履き清楚なワンピース姿の母ミホ、そして妹摩耶の三人が夜の商店街の陰翳のもと買い物する姿には［父、母、妹と江ノ島へ遊ぶ。普段使わぬ神経をしてみても、通わぬものはそれまでなのに。］と［摩耶、流行歌手のスタンド皿を買う。湛えた感情が噴き出す機会をうかがい始めています。］という文が付されている。

一見すると、どこにでもある睦まじい親子の買い物風景に見える。だが付された文によって、親子や夫婦の間の感情の齟齬に秘められた変調への予感とも狂気への怯えともつかないが影が睦ましい映像の皮膜を裂傷となって走る一瞬に不意をつかれる。一二枚目の［妻、登久子］は先に触れたように『生活』でも採用され、いずれも見開き二頁を使って配されている。「生活 1979・80」では［妻、登久子］だけの表記だが、『生活』では［登久子さん／実存を前に五つの触覚があやふやになる。］に変わり、エロス的な漂いが溶け合う感覚が表出されている。

「生活 1990-92」では妻と娘の写真が多くを占めるようになっているが、はっきりしているのは〈読点〉が方法にまで深化させられていることである。一〇年の時の経過がそうさせているにしても、一枚だけ［妹マヤ／言葉は罪深い。／夕方の赤い空に浮いていて、罪を忘れさせる。］との文を添えた、椅子に座ってやや顔を右に傾げて微笑む妹の肖像を入れている。そして発車した地下鉄の最後尾から撮ったと思わせる、駅の構内を割って真っ直ぐ伸びる鉄路の向こうから矩形の光が射し込んでいる一枚には、［亡き父の祈りは『Ave Maria』。］を捧げていた。

この「生活 1990-92」の最初には、奇妙な靴下を履いた島尾自らの足の写真に［私は写真で考える。］と意志的なものが表明されていることと、「第三信号系」という言葉が散見できる。芝生の上に脱いだ靴の間に置いた「妻の足」は［その第三信号系の、どこかが壊れているらしい、］となっていて、台所で広げられた新聞の上辺から顔の半分をこちらに向けて流し目を送る妻を、角度を変えて左右に割り付けている右頁には［表象を決定するのも、第三信号系の調子なのだろう。］とある。広げた新聞は誘拐事件を報じたものであることがわかるようになっているが、しかしそれは写真に意味の回路を持ち込むことでは、どうやらないらしい。

「第三信号系」については明確な概念を与えているわけではないが、『ひかりの引き出し』や『生活』などでもたびたび使われていて、特別な思い入れがあるようだ。［私は写真で考える］に引きつけていえば、「生活 1990-92」の最後に配された、子供たちが画いた不可思議なフォルムの絵が展示された会場に佇む妻の肖像に、楽譜を置いたことが示唆するところである。文字ではなく楽譜を、写真に音を、未知から届けられ、未知へと送り返していく、見ることの通念へと捕捉されない複数化された感覚の系ということなのだろう。たしかに島尾自身がいうように写真は写真だけで完結しているのかもしれない。だが〈方法としての読点〉を介在させることによって、写真は異化の風を孕みエニグマとなる。〈読点〉とはほかならぬ写真という光学の自我でもある、ということに思い至るだろう。

「損なわれた時」の向こうの〈Shyma〉とブラッドライン

島尾の〈私写真〉が、暗い海で遭難した「月の家族」から妹を置き去りにして逃げだしたことを〝原罪〟にしていることをあらためて確かめ直すとき、不意の擦過傷のようなキャプションや心理の襞をめぐり鬱に沈んでいくようなエッセイも、そしてそれらの曲率としての〈照片〉と〈雑文〉は「カフカ的」なる写真の自我の群島という思いにさせられる。だからこそ、新たに作った家族が外からの加圧によって壊れることを極端に恐れるのだろう。［野のユリのように。］は、「月の家族」を、亡き妹摩耶の哀しみを、深く鎮めるように慈しんでいるようだ。残照に浮かべたオマージュでもある。

島尾の写真のはじまりで聴いた「マニラでは南南西の風、風速2……」という声、アジアの季節風の湿気と熱気に連なる奄美、そして琉球弧の島々。そこはまた『損なわれた時間を求めて』（河出書房新社、二〇〇四年）還りゆく根源のトポスであり、「のぼせた皮膚に外の風を当てようとして外に出る」ときなど、夢のように訪れてくる都市の中のもう一つの場所、サード・プレイスとしての〈Shyma〉でもあった。「都会が捨てた空間、忘れた時間、置き去りにした速度《テンポ》、そこへ気持ちのすき間を持ち込んで、夜間遊泳《ブギーナイト》」、そう、シマ・ユメタ（奄美言葉）とともに少年期の行動パターンの回路に植え付けられている実存のテクネーとしての〈遊泳〉があった。ひかりの引き出しにしまい込んでいたウタひとつ。

Shyma nanty gynya-sa tan chikinn, ama miyirya kuma miyirya maya mayatqwa ciygachina asudy atqutan niyciy, nama daka Yamato nanty maya maya ciy atqum wan ariyon（奄美大島で子どもだったころに、うろうろちょろちょろして／遊んでいたようなことを、今も日本の中でやっている／私なのです）

アジアモンスーンの気流が鳴る少年の島――島尾伸三の〈奄美〉は気圧の谷となり、風を力にしながら移動していくにしても、「日本の中」ではカフカのような魚となって夜を泳ぐのだろう。そんな時はまた、少年期の奄美の時間への帰還を夢見る時にもなったのだろう。だが少年の奄美はいうまでもなく、伸三と摩耶を苦しめた母ミホと父敏雄の諍いや母ミホの「無意識に吐き出す悪意に満ちた甘い息」の記憶によって翳っていく。「失われた」ではなくあえて「損なわれた」としたことに、「月の家族」の修羅を想起させられる。「光の引き出し」にしまわれた島尾の〈Shyma〉は、ローマ字表記されたシマ・ユメタによって夜を遊泳していくが、その向こうには消そうにも消すことができない病む母と繫がったブラッドラインがあった。

それはたとえば、琉球弧を眼の中に入れることによって、単一の硬直した日本のイメージを刷新する「ヤポネシア」の想念を生んだ島尾敏雄がたびたび訪れた沖縄で、グスクとともに必ず足を運んだ「沖縄芝居」を高校生だった息子の伸三を伴って観劇したときの体験をつづった「沖縄紀行」（初出は『展望』一九六六年八月、第九三号）のなかに見出すことができる。息子が沖縄芝居のなかで交わされることばが理解できるかどうか不安だったが、おかしな効果をねらったところや沖縄特有の発想がたくまず出たようなときも、笑い転げる姿をみて、その心配が無用であった、と記した後に続けていた。

あとで彼は、せりふがよくわかった、と言った。いくらか早のみこみのところがあるにしても、たぶん彼が言った通りだったたろう。彼は奄美の生活の中に居て、南島のひとたちのくせになじんでいた。また彼は、母親のすがたが浮かんできて仕方がなく、その上、母親にきかされていた祖母のイメージをはっきりとつかまえることができた、と言った。(中略)沖縄芝居の中で、はっきりしたすがたをあらわしてきた。母親からきき、ただ耳を通しただけと思っていたことばが、いきをふきかえし、ひとつひとつ合点される気持ちだと言った。

父親の不安を無用にした沖縄芝居の中の「ことば」と沖縄のひとの「くせ」を通して母親の姿を、母親の姿から祖母のイメージをつかんでいく高校三年生の島尾伸三のなかに流れている〈南〉の系譜、そこに都会が捨て、忘れ、置き去りにした時間や速度の遠い源流を遡っていく魚となった「カフカ的」なるものを、損なわれ、もはや取り返しはつかないにしても、求め続けられる時空を読むことはできないだろうか。求められる〈Shyma〉はシマ・ユメタとともにあった。そしてそのシマ・ユメタはカフカのプラハ・ドイツ語がドイツ語を不安にしたように日本語を不安にするだろう。島尾伸三の〈照片〉と〈雑文〉とは、〈Shyma〉とは、そして《海辺の生と死》と繫がったブラッドラインとは、沖縄戦後世代の精神史と吹き寄せる季節風によって接見し合っている。

II

地図にない邦へのジントーヨー

内部生命となった〈民族自決〉とザン

一九七一年一〇月一九日の朝、真久田正と私は三〇分にも満たないわずかの時間をともにした。その日は「沖縄国会」とも呼ばれ、沖縄返還協定を批准するための第六二回国会衆議院本会議で佐藤栄作首相が所信表明演説をすることになっていた。その国会でひそかに計画された行動のため、議員枠の傍聴券を予め手に入れていた三枚のうちの一枚を手渡すためである。待ち合わせの場所は、私が一人で事務所を預かっていた、国会議事堂から遠くない千代田区平河町にあった木造二階建ての一角にあったアルバイト先である。

事務所を開けた直後の約束の時間に、すっかり変身を遂げた背広姿の真久田が現われた。傍聴券を渡し、階段を下りた。右に折れ、通りをしばらく歩いたところで高架橋が斜めに弧を描いて交差していた、その場所で目配せし、測ったように別れた。別れぎわひと言かけると、黙って頷いて背中を向けた向こうには白い建物が見えた。彼の背広の中には、爆竹と「沖縄返還粉砕」の意志を手書きした布が隠されていた。他の二人は別々に会場に向かっていた。

真久田も含めた三人のいわゆる沖縄青年同盟（以下、沖青同と略称）行動隊による「国会内決起」と呼ばれた行動の直前のことだった。三人はそれぞれ「決意書」をしたため、私は沖縄青年同盟としての檄文「総ての在日沖縄人は団結して決起せよ」を書いた。その檄文は印刷され、声明文的な役割も果たすようになった。

のちに、その場にいたことが「沖縄青年同盟の国会行動を支持する会」を結成し、支援活動に携わることになった北沢洋子は、官僚作文をだらだら読みあげる佐藤栄作首相の所信表明演説の「沖縄返還は国政の重要問題の一つである」という声と同時に聴いた音と、その後に起こった光景について記していた。「傍聴席の前列の左側、つづいて右側から爆竹の音と『沖縄返還粉砕』と叫ぶ二人の青年のふりしぼるような声が聞こえ、すこし間をおいて中央あたりからは女性の叫び声と花びらの散るように議席にむかってまかれるビラが目に入ったのだった」(「未来の人民解放の思想」、『朝日ジャーナル』一九七一年一二月一七日号)。首相の退屈な声に乗せられた「沖縄返還」とふりしぼるような「沖縄返還粉砕」の叫び、そして花びらのようにまかれたビラ、そこで出現した光景は、それまでの沖縄論や沖縄闘争を語る言葉とはまったく違う言葉をもった主体の登場を告げた瞬間でもあった。北沢は沖青同の思想と行動に、アルジェリアやヴェトナム解放闘争と重なる質を看取し、それは沖縄問題に対する「本土中心思想」や日本国家そのものの構造や解放の思想を含めたすべての「既成をひっくりかえす」ことにつながるとしていた。

三人は、建造物侵入と威力業務妨害で起訴されるが、七二年二月の第一回公判で沖縄の言葉によって陳述する、いわゆる「沖縄語裁判闘争」を試みるなど、沖青同の思想と実践は、北沢洋子も言うように「本土中心主義思想」や日本を「祖国」と幻想し、そこへ同一化することによって併合を沖縄自ら代行していった復帰運動の双方を根源的に問い返し、転換を迫っていった。

「決意書」にみる決断の構造と歴史意識

三人が国会決起の直前に書いた「決意書」は、「沖縄青年同盟の国会行動を支持する会」の賛同人としても名を連ねた橋川文三が『近代日本思想史講座7　近代と伝統』（筑摩書房、一九五九年／中島岳志編『橋川文三セレクション』岩波現代文庫、二〇一一年）に寄せた論考「歴史意識の問題」のなかで、「『今、此処』における主体的決断の内面化に深くかかわりをもつ意識の形態である」とした「歴史意識」を、〈在日〉を生きる沖縄の戦後世代のレゾンデートルとして表出するものであった。三人の「決意書」に共通しているのは、七二年沖縄返還（日本復帰）を第三の琉球処分＝併合として捉えたこと、自衛隊＝日本軍の沖縄進駐への強い危機感をもっていること、そして日本復帰運動の批判的超克と在日沖縄人として自律的主体たろうとしたことなどである。

たとえばそれは、「私たちは、帝国主義日本国民となることを拒否する。七二年返還によって沖縄と沖縄人民を帝国主義日本国民に組入れることに対して、断固として闘う」（「沖縄」M・S）とか「日帝には、沖縄を裁く権利はない。又、沖縄人民は、断固として裁かせない。我々、三人の、その行動は、沖縄人民の偽らざる姿なのだ。被害者となること、加害者になることも、沖縄人民は、実力でもって拒否する」（「宮古」本村紀夫）という言葉にみることができるだろう。使われる用語に新左翼の影響が流れ込んでいるにしても、沖縄と自己を抗体にして時代との必死の応答があった。「今、此処」と「主体的決断の内面化」を連接していく〈歴史意識〉が実際の行為に移されていく動態を目のあたりにさせられるだろう。

「八重山」（「獄中書簡」のなかの表記）の真久田のそれもまた「沖縄」と「宮古」（黙秘していた段階での「獄中書簡」でのそれぞれの出身地域名を使っていた）の二人と危機を共有しながらも独自な声を伝えている。いずれも一人称複数形ではあっても、「私たち」を使う「沖縄」のM・S、「我々」とする「宮古」の本村とは違い、「僕達」にしていたのが目を引く。政治的決意書としてはいささか不似合いな印象を与えるが、それがかえって自他認識の構造とその変換を分泌させてもいる。

僕達、沖縄の青年は、アメリカ帝国主義者の圧政の中で祖国復帰運動の洗礼を受け、文字通りの沖縄県民＝日本人になることが、あたかも解放される唯一の道であるかのように教えこまれた。／ところで、気がついたとき僕達は「異邦人」としてこの地、日本に立っていたのである。／そして、僕達は思い出した。日本と日本人が、沖縄と沖縄人に何をしたか！／そして、僕達は考えた。／僕達が日本人になることによって、沖縄は解放されない！／そして、僕達は気がついた。／この世に生を受けたとき「日本人になりたいと誰に言った覚えもないのに！」／そして、今、僕達は必死に叫ぶのである。この地は僕達の「祖国」ではない！／日本人に僕達の沖縄の運命を決定する権利はない！

ここには沖縄の戦後世代が同化主義イデオロギーの擬制に気づき、日本（人）と沖縄（人）の関係の歴史構造的把握と刷新された主体が行為に転じる内的過程がある。「異邦人」としての自覚は〈在日〉の発見でもあった。この決意の文を特徴づけているのは、何といっても接続詞「そして」を重ね、「思い出し」「考えた」ことを繋ぎ、「気づいた」ことから「叫び」へと至る意識の運動と決断の構造が簡潔な言葉で辿られているところにある。他者（ここでは日本と日本人）に向かって言葉を放つというよりも、自分に向かって語りかけ、たしかめ直していく、そんなセルフメッセージになっているように思える。「祖国復帰運動の洗礼」の呪縛が解かれ、解放の思想も組み換えられていく。

この「決意書」に後述する世界一人旅での覚醒の場からの転進を見てもよい。引用の前後には「沖縄の解放闘争は基本的には階級的視点に立った民族解放の闘争である」という認識に拠りつつ、排外主義でも国家主義でもない歴史や民族性に言及し、「このような民族性の自覚なくして実のインターナショナルな視点はそだたないし、さらに解放のための真の国際的連帯も、このような民族の主体的闘争を尊重したところから生まれるのである」という識見が提示される。急いで付け加えなければならないのは、ここでの「民族性の自覚」や「民族の主体的闘争」は、「日本復帰運動」を駆動させていくイデオロギー装置となった「日琉同祖論」的コンテクストの囲いのなかでいわれているわけではない。そうではなく、〈出沖縄〉の経験が「気づき」から「自覚」へ、「自覚」から「叫び」へ、そして「主体的闘争」へと赴いていく、発見と異化が含み持たされていることである。この発見と異化こそ、真久田の「決意書」を際立たせているエチカにもなっている。〈民族〉とか〈民族性〉は、発見と抗いの力能であって、まぎれもない橋川文三が言っていた「歴史意識の問題」にかかわってもいる。

「異邦人」とは、いわば発見と異化を通ることによって〈民族〉として輪郭を結んでいく自己像のことである。

橋川は、歴史意識という概念が現代政治と思想状況に、どのようなアクチュアルな意味で用いられるかの例を、沖縄出身の小説家で『沖縄島』の作者でもある霜多正次が「沖縄と民族意識の問題」（『文学』一九五九年八月号）で、沖縄では植民地支配から脱して日本に復帰したいと念願し、世代の違いを越えた共通の民族意識と共通の歴史意識が形成される現実の基盤があり、世代の断絶を救う途となるのは歴史意識としての「民族意識」であると述べたところを紹介していた。しかし霜多の「民族意識」は日琉同祖・同根論が前提になっていたことの限界まで視野を届かせることはできなかった。そうなったのは、時代的制約があったことを考慮に入れなければならないにしても、世代の違いを越え、断絶を救う〈民族意識〉と思わせるほど、日本復帰運動へとマス化していく救済願望が膨れ上がっていったことは多言を弄するまでもないだろう。〈民族意識〉のもつ超越の魔力が逆に主体を空洞化させていく陥穽を、橋川文三の歴史感度と慧眼をもってしても見抜けなかったことに問題の根深さはあった、ということなのかもしれない。この主体化をめぐる政治のパラドックスをいかに解約していくかに沖縄の思想と実践の核心点があった。

いうまでもなく、霜多が依った〈民族〉は、真久田が拠った〈民族〉とは異なる。五〇年代後半から六〇年代はじめにかけての時代状況と、六〇年代後半から七〇年代初めにかけての時代状況の違いによっては説明できない、「主体的決断の内面化」において懸隔があった。霜多が植民地支配から脱する途を、日本国家と国民への帰一に求めたこと、それゆえに従属的主体となることを構造として避けられなかったのに対し、真久田の脱植民地化はそうした構造を改変し、沖縄が沖縄自身に帰還すること、そのゆえに抗う主体とならざるを得なかった。「決意書」には内的モチーフへの劇性とその劇性がのちにレーニンの《民族自決論》に転轍されていく初発の契機が書き入れられていた。

世界貧乏一人旅から〈海邦〉まで

真久田正は一九八五年に私家版の『詩集〈海邦〉総集版　幻の沖縄大陸』を発行している。『〈海邦〉総集版』とあるように、一九七一年から八〇年まで、番外編を含め1から8までのガリ版刷りで発行した詩集『海邦』をまとめたものである。著者プロフィールの前半は「一九四九年生まれ。八重山高校卒業後皿洗いなどをしながら世界一周旅行／一九七〇年帰国後、沖縄青年委員会〈海邦派〉加盟／一九七一年　第62回国会衆議院本会議場にて爆竹を鳴らし、沖縄返還協定批准に抗議逮捕、同年沖縄青年同盟結成」となっている。

目を止めたいのは、「八重山高校卒業後皿洗いなどをしながら世界一周旅行」とあるところである。このとき書き継いだノートは、国会決起直前にすべて破棄したことから、その旅がどのような経験だったのかを知ることはできないが、断片的に語っているところはある。たとえば「獄中書簡」のなかで、麹町署に留置されているときに綴った「この怒りをどこへ」である。独房の白い壁に表われては消え、消えては表われるひとコマひとコマを、「この前旅にでていたころの僕の体験が沖縄を求め、

□□□の雪の中で海を見たくてたまらなくなって、やたらとベッドの上でのたうちまわっていたことや、また□□□をやっと通り抜け□□□の黒い波しぶきがカモメの声にぐっとこみあげてくるような感動を覚えた」と記していた。文中の白枠は、「注記」の説明によれば「権力によって削除」されたことになっている。引用の最初にある「この前旅にでていた」としたその〈旅〉は、八重山高校卒業後の世界一周旅行であることはまちがいないが、その〈旅〉が「沖縄を求め」としたところに、破棄したノートの秘められた意図を読んでもよいだろう。貧乏しながらの世界一人旅は、〈島〉と〈海〉と〈沖縄〉と〈民族〉を見出す旅でもあった。

こうした世界一人旅や沖縄青年委員会〈海邦〉との出会い、沖縄青年同盟行動隊としての国会内決起や沖縄語裁判闘争について、公に語ったのが「沖縄『復帰』三〇年を問う連続講座」の第二回目の講師として招かれたときの「沖縄の民族問題と独立論の地平〜『沖縄青年同盟の総括』を参考にして」(二〇〇二年一〇月一八日)であった。

一九六九年五月二九日、イランのクエッタという町の土壁の穴倉のような小さい木賃宿の部屋で、コーランの朗唱を聴いていたその日が二〇歳の誕生日だったことからはじまり、一九の春に沖縄を脱出し、香港からカンボジア、タイ、インドを経由してパキスタンに入り、砂漠の大陸横断バスに乗ってイラン高原を通り、トルコとの国境近くのクエッタという小さな町に着いたのが五月二九日だった。そこからさらにトルコへ渡り、イスタンプールからオリエント急行に乗ってブルガリア、ユーゴスラビアを経てオーストリアのウィーンへ。その後ドイツ、フランス、イギリス、スコットランドに移動し、ニューカッスルという小さな町からフェリーでデンマークに入り、アメリカに渡った、一年と六ヵ月の放浪の旅であった。

このアルバイトをしながらの世界一人旅で、印象に残った出来事を二つ挙げてみたい。ひとつは、ウィーンの香水のスプレーを組み立てる家内工業的な会社でのこと。そこで働いていた学生アルバイトの多くはチェコスロバキア人で、ソ連による民主化運動の弾圧から逃れてきた難民であった。「自分も難民みたいなものだ」と思っているところが興味を引くが、ある日、ラジオから「オキナワ」という言葉が流れてきて、ドイツ語と英語のわかる学生に訊くと「沖縄が米軍占領下から日本に返されるという話をしているよ」と教えてくれた、という。沖縄返還を決めた六九年の佐藤・ニクソン会談を知ったのが東ヨーロッパだった。

いまひとつは、ニューヨークのマンハッタンにある日本レストランで半年くらい働いたときのこと、日本人が多かった従業員のなかには、韓国人やヴェトナム人などもいて親しくなったが、「当時、沖縄出身の学生はだいたい『本土』に来てはじめて沖縄差別を体験するというのが普通でしたが、わたしの場合はアメリカの日本人社会の中で差別を受けたり、プライドを傷つけられたりするような経験をした」と語っていた。異国の日本人社会の内部での経験であっただけに、より凝縮し、内攻していったことがわかる。

この逸話から見えてくるのは、空間の旅から寄り合った場所で、〝オキナワ〟という出自が歴史化されたまなざしによってむき出しにされていく様相である。思うに真久田正版《歴史と民族の発見》は、こうした世界一人旅に遡ることができる。言い換えれば、「決意書」の原型が「難民」のような幾つもの国と民族との接触によって培養されていった、ということである。

そして〈海邦〉である。〈海邦〉とは、沖縄青年委員会が発行していた機関紙名だが、組織は復帰路線を原理主義的にラディカルにしただけの革共同中核派に所属したグループと、在日、反復帰、沖縄自立を主張する、主にノンセクトグループに二分されるが、そのノンセクトラディカルが沖縄青年委員会〈海邦〉を名乗った。のちに思想性をより鮮明にして沖縄青年同盟へと改組される。真久田は世界一人旅から七〇年暮れに東京に辿り着くが、翌七一年に沖縄青年委員会〈海邦〉と偶然の悪戯が必然にでも引き寄せられるかのごとく出会う。そのときの様子を振り返っていた。「そんなある日、代々木公園だか清水谷公園だか忘れましたが、大集会があるというので友人たちとつるんで見に行きました。赤旗が林立する中、旗に『海邦』という文字が見えて、ちょっと惹かれるものがありました。あとで『かいほう』と読むことがわかりましたが、それは沖縄青年委員会というグループでした」と。のちに個人誌名に使うほどこの名は、真久田の感受性に訴え、想像力を刺激した。その〈海邦〉の旗のもとにいた八重山高校の後輩や先輩と再会し、誘われるままに戦線に加わっていく。

それから学習会とかに参加するんですが、そこではじめて「反復帰論」に出会いました。当時、我々は復帰運動の中で育ってきたので「復帰するのは当然」と思っていました。核と基地を残したままでの欺瞞的な返還に反対という主張も強まっていましたが、しかし、それは「反復帰論」とはちょっと違う。「反復帰論」とは基本的に復帰しないという話です。／世界中回ってきたわたしの感覚から言うと、ああそうだよなあ、もともと沖縄は琉球王国という国だったんだし、日本が祖国というわけはないよなあと、目からうろこが落ちる体験でした。

注目したいのは、「反復帰論」を「世界中回ってきたわたしの感覚」で受け止めていることであり、そこに独自な目線があった。真久田は獄中書簡で、「反復帰論」の代表的な論客である新川明の発行直後の『反国家の兇区』（現代評論社、七一年一一月　現代評論社）を、ノートを取って読んでいる。

ここで世界放浪の旅でつかんだ「わたしの感覚」とは何であったのかについて立ち止まって考えてみたい。おそらく、と思う。それは、獄中書簡のなかで伏字にされ判読不能な文字のなかから「雪の中で海をみたくてたまらなくなった」ことや「黒い波しぶきがカモメの声にぐっとこみあげてくるような感動」として独房の壁にフェードイン、フェードアウトされていくひとコマひとコマであり、またソ連の弾圧から逃れてきた難民のようなチェコスロバキア人との出会いであり、ニューヨークのマンハッタンの日本食レストランで親しくなった韓国人やヴェトナム人たちとの交感のなかに、伏在している民族と国家の越境と交差、難民のような生存のなかで疼いている邦であり、根こぎにされた流浪の内に芽吹く根のようなものであることは想像に難くないだろう。

「ばんちゃぬ　ふっちゃー」と〈民族〉の内界

「世界中回ってきたわたしの感覚」、そして「目からうろこが落ちる体験」となった「反復帰論」との出会いから真久田正をして転換期の渦中に駆り立てていったのは何だったのだろうか。言葉を換えて言えば、「主体的決断の内面に深くかかわりをもつ意識の形態」としての歴史意識が真久田においてどのように生きられたのかである。それはまた、沖青同内部を分けた対立で、真久田が依拠した《民族自決論》の根を掘りあてることにもつながっていくはずである。

詩集〈海邦〉総集版の冒頭に置かれた「ぷーる」(豊年祭)と「ばんちゃぬ　ふっちゃー」(うちの長兄)という詩がある。すぐの弟と二番目の弟へ送るという副題がついていて、いずれも八重山の言葉で書かれている。ほとんど推敲なしでできあがったともいう。ちなみに次男は「がっちゃー」、三男は「あじゃんまー」と呼ぶ。この二つの詩が生まれた事由について、「詩の航海日誌」①(『KANA』五号、一九九九年一二月)と②(『KANA』六号、二〇〇〇年一〇月)で振り返っていた。国会決起後の麹町の留置所から小菅の拘置所に移監されて間もない頃、獄舎の小さな青空をながめながら島の両親や弟たちのことを思い出しているときに、誰かが背後から「ふっちゃー」と声をかけてきたような気がした、と啓示のような瞬間について記していた。

真久田自身の詩の要約によればこうである。すなわち、うちの乱暴者の長兄は旅へ出ていったが、東京の国会で大変なことをしでかし、警察に捕まって監獄にぶち込まれたが、根がいたって呑気者だから監獄の中でふんぞり返ってふてくされて寝ているんだってさ、という弟の眼を通した噂話だという。「ばんちゃぬ　ふっちゃー」には「敬意と揶揄と、謙遜と卑下と、共感と自嘲が微妙に絡み合っている」複合されたニュアンスがあるとされる。獄中にいるとき、啓示のようにやってきたこと、弟の目を通した自己像であること、八重山コトバで書かれ、のちに琉球古謡「おもろ」の詩魂を現代詩に植生していく〈原 - 詩〉になっていること、そしてこの詩が「ぷーる」とともに真久田の代表的な詩のひとつになっているという意味でも全文引用しておく。

ばんちゃぬ　ふっちゃー
たびかいおーったそんが
むぬん　おいしょうらなーて
ぴぴじゃんやーし
みーぬぐぼゥん　ごっふォでうたし

ばんちゃぬ　ふっちゃー
たびかいおーったそんが
とーきょーぬ　こっかいんが
ぴゃーしんごーば　うっぱらばし
けーすっんかい　かっつァみられー
ろーやぬなかんが　くみられー

なまなま　でーずしーおーるんどらー
やそんが　ばんちゃぬ　ふっちゃー

のんかーやりきー
ろーやぬなかんが
あっふァなぎ　にびどぅおーるっちょ

繰り返される「ばんちゃぬ　ふっちゃー　たびかいおーったそんが」（うちの長兄旅へ出ていったのですが）には、二つの詩の内部で木霊し合い、貧しい家庭ゆえに男兄弟だけでなく、ホンマー（長女姉）もまた島から出ていかざるを得なかったという事情が含み持たされていた。

この「旅に出る」という経験を、一族の歴史において詠んだのが「南風《ぱいかじ》」である。「次々に島を出ていった」と「幾時代かがすぎていった」という鍵になる言葉が繰り返されるように、島の母たちとその息子とそのまた息子たちの遍歴史として読める。最初の息子たちが次々に島を出たのは「日の丸に送られて」だったが、末の息子以外南方から慰安袋が送られてきた。生き残った末の息子の息子たち（孫たち、ここでは真久田正たち兄弟ということになろう）も、あの日のように「赤旗が渦巻き、海の向こうへ」流れていった。上の孫が逮捕されたというニュースが島に届く。亜熱帯の季節はめぐり、乾いた白い世界が甦る。「あゝ、南風よ、そよと吹け、やさしく吹け。幾時代かがすぎていく。海の向こうへ、空の彼方へ」という一行が間に挟まれる。

詩はその後転調し、島を出た一人の息子の「幾時代かがすぎていく」内部の旅の抒情的なモノローグがつづられていく。そのさまよいの抒情を織るのは、「お前はなにをしているのだ」という自問に跳ね返ってくる敗残の意識である。そこから紡がれる心景は、たとえば、「哀しくも　うらぶれた闇の私の亡霊が／爪を噛む音がした」とか「みろよ　俺の足跡　まるで荷馬車を引きずった／ヨタヨタ歩きの　ロバの足あと」と翳っていく自裁の哀傷である。

この「南風《ぱいかじ》」が書かれたのは一九七四年だった。真久田にとってこの年は、前年五月の沖青同の分裂と九月の東京地裁で懲役八月、執行猶予三年の判決、東京高裁への控訴、翌七五年三月の高裁判決に挟まれた時期であり、沖青同が分裂にいたる論争をレーニンの「民族自決論」や「民族・植民地問題」に関する論集を繰り返し読むことによって応戦していった時とも重なっていた。「南風《ぱいかじ》」はいわば、激烈をきわめ、重く、憂鬱で、切なくもあっただろう日々の間隙で、出郷してきた遠い島と母と兄弟たちに思いを馳せ、己の内部に目を落とすとき、流れた歳月が傷や痛みとなって忍び込んでくる心象が辿られている。「爪を噛む音」や「ヨタヨタ歩き」、「亡霊」や「ロバ」などの語彙からは、そんな真久田の胸の内の疼きを聴き取ることができるだろう。南から吹き抜けてくる風にさざめく心象の遠景と近景、残影と残響を栞のように挟んでいるともとれる。

ところで、では、真久田正はレーニンの《民族自決論》の何に、どのように惹かれたのだろうか。《自決》をめぐって書かれた論文のなかから任意に拾い出してみよう（いずれも『レーニン全集』から）。「民族問題にかんするテーゼ」のなかの「(民族自決は、) 政治的自決という意味、すなわち分離して独立国家を形成する権利という意味以外に解釈することは断じてできない」ということであり、「このような分離の問題は、ただその地域の住民の普通・直接・平等・秘密の投票にもとづいてのみ決定するよう要求すること」であるとしたところである。「民族自決について」では「民族の自決とは、ある民族が他民族の集合体から国家的に分離することを意味し、独立の民族国家を形成することを意味している」と定義づけ、「社会主義革命と民族自決権」のなかでは「植民地とアイルランドとの分離の自由を要求しないようなイギリスの社会主義者――植民地の分離、アルサス人、デンマーク人、ポーランド人の分離の自由を要求せず（中略）シァーベルン事件のような事件を利用しないようなドイツの社会主義者――フィンランド、ポーランド、ウクライナ、その他等々の分離の自由を要求しないようなロシアの社会主義者――そういう社会主義者は、社会排外主義者（後略）」としてふるまっていると指摘したところであろう。

さらに言えば、「自決にかんする討論の総括」のなかの「併合が、民族自決の侵害であり、住民の意思に反する国家境界の決定」であり、併合に反対することは「任意の民族をある国家の境界内に暴力的に引きとめておくことに反対すること」であるとした箇所も琴線に触れただろう。もっとも、真久田が好んで紹介したのは、分離の権利（自由）としての自決権を「離婚の権利（自由）」に喩えたことである。

> 自決の自由、すなわち分離の自由を支持するものを、分離主義を奨励するものだといって責めることは、離婚の自由を支持するものを、家庭の絆の破壊を奨励するものだと責めるのと同様に、ばかげたことであり、偽善である。ブルジョア社会で離婚の自由に反対するものが、ブルジョア的結婚のよって立つ特権と金次第であることとの擁護者であるのと同じように、資本主義国家で、自決の自由、すなわち民族の分離の自由を否定することは、支配民族の特権と民主主義的統治方法をふみにじる警察的統治方法を擁護することである。

隠れレーニン主義者の「再帰」と「再起」

「沖縄性を求める」世界一人旅から帰ってのち、沖縄青年委員会〈海邦〉と「反復帰論」に出会い、沖縄青年同盟行動隊の一人として国会決起によって逮捕され、獄中で新川明の『反国家の兇区』を読んで位置の政治に覚醒し、沖縄語裁判闘争を経てレーニンの《民族自決論》に辿り着き、転換期の沖縄を旋回させようとしたのだ。「決意書」のなかの〈異邦人〉と〈民族〉は、自決（分離）の権利（自由）によってその理路を与えられたということでもある。その後も「隠れ切支丹のように」と告白するほど、レーニンが革命の気圧のなかで錬成した《自決》というキー概念は真久田の政治的遍歴史を決定づけていった。

ここであらためて関心を絞ってみたいのは、橋川文三が『今、此処』における主体的決断の内面化に深くかかわりをもつ意識の形態である」とした歴史意識が〈在日〉を生きる沖縄青年においてどのように生きられたのか、ということである。そういった意味でも私家版詩集〈海邦〉は、真久田正の歴史意識を知る格好のテクストとなっている。詩のなかに揺曳する傷や痛みはまた、「最終意見陳述書」のなかで〈在日〉を生きた沖縄出身者の死への哀惜に呼応し合っている。集団就職で「本土」へ渡ってきたが、疎外の網に捕捉され、死を余儀なくされた一人一人の名前を挙げ、書き印したところは、あの「南風《ぱいかじ》」の系譜と応接してもいた。家族ぐるみで出稼ぎにきたがそこでの生活に耐えきれず、かといって仕事のない島へ帰ることもできず「思い余って自殺した前黒島さん」、集団就職先の劣悪な労働条件に職を転々とした挙句「一人淋しく自殺していった比嘉さん」、黒塗りのヘルメットで国会正門に激突し、日本国家に対して抗議死した「上原安隆さん」、名を挙げてはいないが、走行中の車への飛び込み事件や差別に抗議して社長宅に放火し獄中で自殺した宮古島出身の青年など、〈在日〉を流れた同世代の生きざまと死にざまへのオマージュを手向けていた。

「銀色の傷」は一九七三年五月二〇日、時速八〇キロのバイクで国会に突っ込んだ上原安隆の自殺を詠んだ詩だが、この詩の独自な位相は、黒ヘルメットに残った「銀色の傷」を「たった一つの、これが言葉だ！」と受け止め、彼の死が「余りにも〝言葉〟でありすぎる」としたことであり、「一人で言わねばならぬまでに／あなたを追いこんだのが、我々であったことを知るからだ」という過剰なまでの自責の念である。それにしても死が「言葉でありすぎる」とはどういうことだろうか。もしかしたら、愛用のバイクで日本国家へ抗議死した青年のたった一人の叛乱に、二年前の自身も含む三人の沖縄青年同盟行動隊の国会内決起の陰画をみていたのかもしれない。〝言葉〟とは、死者たちのまなざしによって現像された歴史意識のきわみだといえないだろうか。

隠れキリシタンならぬ隠れレーニン主義者・真久田正の〈民族〉は、「言語、領土、文化の共通性」という定義に囲われることなく、死者たちへの哀痛と沈黙の言語的意味のなかに宿り、「ぷーる」や「ばんちゃぬ　ふっちゃー」や「南風《ぱいかじ》」などのように、意志を越えて吹き寄せてくるパトリの風紋や息子たちを次々に見送らざるを得ない母たちの心に降り積もった感情の閾であり、島の幸福と島の不幸をまるごと抱えもった共和体の鳴動に開かれてあるものだといえよう。そしてそれらは「都会のうす汚れた街頭に、落としたマブヤーをひろいながらさ迷うやせ犬」（「八月の幻影」）とか、「いつもそうであったように　仲間たちの面影を曳きずりながら／僕は古里の歌を唄っているだけ」（「南風」）という詩の言葉によって反照される。

とはいえ、組織の分裂と地裁・高裁での裁判闘争、敗訴による精神的な痛手はどうすることもできず、「挫折感と敗北感だけを鞄一つに詰めて」一九七六年に沖縄に帰る。その年の九月の日付をもち、真久田を〈海邦〉の旗のもとに誘い入れた同郷の先輩である「友寄氏へ送る」（「友寄氏」は金城朝夫のこと）の献辞になっている「航跡」は、〝隠れレーニン主義者〟の帰還がどのようなものであったのかを伝えていて胸に迫るものがある。「我らが確かな足跡が、泡沫となって消え去る」とか「素朴な奮闘の日々は、何事もなかったように、海のもくずと消えていく」という喪失感を抱きながら「島伝いに南下する、離島航路の船の上で、かつての同志に出あっても、あの『党』を二分した、懸案の議論さえも、バカっ話の談笑となったのだ」と淋しくも乾いた心情でくるみ、次のように続けていた。

御神崎の向こうにまわった石垣よ
名蔵湾の、岬の向こうに、チラリと顔をみせた白い街よ
ギリシャでは、牛の首輪にするカウベルを、ドアに吊るしてガラガラ鳴らした
あの店のある、砂ぼこりの　港の街よ
地球をぐるっと廻って、もとのもくあみ
僕にはもともと何もなかった石垣よ、僕はやっぱり

手ぶらで帰って来たよ

ふるさと石垣島への帰郷は、次々に島から出ていくことを繰り返した系譜への痛みをともなったリターンでもあった。岬をまわって、白い街へ、砂ぼこりの港の街へ、手ぶらで。そしてこの再帰の場から長い沈黙をくぐらせ、別の文体が再起されていくのをわたしたちは目撃することになるだろう。その途次を真久田は「転向」という言葉で表現していた。「海邦5」（一九七七年三月〜八月）に栞のように挟んだ短歌ひとつ。

佐敷は　馬天の　夕暮れに
ゆれる　山並み　中城
あれは津堅か　勝連か
そよ風　誘う　湾岸に
帆を上げ　走れ　僕の転向

詩集のなかでは趣向がまったく異なり、孤影をかこっている「白帆」という名の一篇である。この詩は「おもろさうし」に啓発され、第二詩集『真帆船のうむい』（KANA舎、二〇〇四年）へと結実していく「おもろ風」のうたのはじまりの一つと見なすことができるが、それだけではない、決起と暗闘ののち、野良犬のようにさ迷い、ただ「マブヤー」を拾い、仲間たちの「面影」を曳きずりながら唄っていた「古里の歌」を別の文体をもった器にして蘇らす精神世界への帆走として読むこともできよう。「(少々大げさに言えば、あの沖縄語裁判闘争以来)ずっと考えてきた筆者であるが、二、三年前ひょんなきっかけで『おもろさうし』を読んでいて妙な神の啓示のような閃きを覚えた」(『EDGE』七号、一九九八年)と明かしていた、その〈閃き〉だといえないだろうか。

ここに「海邦3」に収めていた「旗」(「田島・仲里氏へ送る」)を置くと、終わったところから始まるもうひとつの旅が意志のかたちをとって像を結ぶだろう。「今は、とうとう、こんな時代になったけど、／もしも、僕に力がついたら／歳月の重圧を持ち上げて、必ずやもう一度／この旗(「海邦」)を風にあててみようと思っている／僕はやっぱり、『海邦派』だから」と詠んだ、秘められた再帰にして再起の潜勢力。「転向」は「転生」であり、〈海邦〉のための分離の自由への夢の回流だったということを知る。

＊

隠れ切支丹のように、という言い方をして、真久田正がレーニン主義をひそかに守り続けているということを明かしたのは「沖縄の民族自決と独立論の再検証」(「礫」六一号、二〇〇九年)のなかであった。雑誌への執筆依頼を受けはしたものの、断るつもりでいたが、編集者の友人が沖縄青年同盟の裁判闘争や「沖電気不当解雇撤回闘争」にかかわっていたことを知らされたこと、すぐに追っかけるように「沖青同行動隊国会内決起三戦士最終弁論集」(一九七三年)のコピーを送ってきたことなどから、引き受けざるを得なくなって書いた一文である、という。

一九七三年六月三〇日の東京地裁での「最終意見陳述書」は、三五年前の自分と向き合うことを意味した。しかしそのことは真久田にとって、「ケツの下から脊髄を伝わり冷たい悪寒と羞恥心が走り頭に血が上ってきた」と表現するほど「若き日の自分の恥部と古傷」をさらけだすことでもあった。とりわけ新左翼系諸党派の影響を受けたことからの観念的すぎる状況認識や変革像との再会は、真久田を苦しめずにはおれなかった。文の前半を強く印象づけているのは、たとえば「プロレタリア国際主義」とか「世界ソビィエート建設」などの早激的でイデオロギッシュな世界観に対して、「バカたれ」とか「アホたれ」という言葉をくりかえし、かつての自分を叱りつけていたことである。

だがそれでも、自分を責め、諫める言葉の間隙を縫うように、真久田の生を支え、促し続けているものがあった。レーニンの《民族自決論》のなかで繰り返し論及された、抑圧された民族が新たに政治的共同体を創設する分離の権利（自由）への尽きることのない関心である。「最終弁論」から引用した最後の段落の一節の、そのまた末尾近くの一語は、そんな熾火のように自覚されていた。すなわち「我々は今、祖国なきプロレタリアートとして、さ迷える琉球人として生きている。だが、我々は未来に建設すべき祖国をもっている。沖縄労働者階級の国家、それは日本―沖縄を貫くプロレタリア独裁のもと、世界の労働者国家へと連なる海の邦として必ずや建設されるだろう」という、それこそ「古傷」をさらす文面ではあったが、そのなかから一基の抗体のように立ちあがろうとしているのが「海の邦」であった。そう、この〈海邦〉こそ詩「旗」のなかで予告された、終わったところから始まるもうひとつの、だが新たな文体を得た〈旅〉のかたちであった。

〈海邦〉とは、と最初の詩集の「あとがき」で書いていた。「海邦――それはかつて日本本土で、島を離れて来た沖縄の青年たちが寄るべもなく毎日を過ごしながら郷里の本土復帰という歴史的な激動期にあって悩み苦しんでいた頃、青年たちが身を寄せることのできる旗印としてかかげられた」。寄る辺なき沖縄青年たちの寄る辺としての〈海邦〉。この旗印はまた「最終弁論」のなかで一人一人名を挙げて記した〈在日〉の若き死者たちの声を聴き取る媒質にもなった。

政治から離れて日常に身を沈めた真久田にとって、沖縄への帰還後の時間はさながら亡命者の日々を生きることに似ていた。故郷にあって亡命者のように生きること、だが、内部生命となった〈海邦〉の思想は別の新たな風を必要としていた。叛乱の季節の浮力が巻き上げたおびただしい観念の死のあとになおも死なずに残った傷と夢、真久田はそれを政治の言葉ではなく、童話や詩や小説の言葉によって漕ぎはじめようとした。「バカたれ」とか「アホたれ」と自分で自分を鞭打つ、その向こうに。

併合と分離の喩法的転位をめぐって

真久田正がレーニンの《民族自決論》のなかでとくに注目したのは、前にも触れたように自決—分離の権利（自由）を離婚の権利（自由）に喩えたことであった。「民族自決権について」（『レーニン全集』第二〇巻、大月書店）のなかで、それを認めることは「国家の分解」であるとする見解に対し、「引っぱって、はなさない」ことをモットーとする巡査ムィムレッツォフの見地であると皮肉を込めて論駁していたが、分離権を承認することはそれとは逆であるとしながら、自由主義者のために紛糾させられたこの問題を「もうすこしわかりやすくするために、もっと簡単な例」として挙げたのが離婚の自由であった。もういちど振り返ってみよう。「自決の自由、すなわち分離の自由を支持するものを、分離主義を奨励するものだといって責めることは、離婚の自由を支持するものを、家庭の絆を破壊するものだと責めるのと同様に、ばかげたことであり、偽善である」と。「家庭の分解」を理由に離婚に反対するのは、実際は警察と官僚制度の無制限の権力、男子の特権と女性に対する抑圧を擁護している、と指摘する。ここで真久田が何を感じ取ったのかは明らかであろう。「引っぱって、はなさない」巡査ムィムレツォフの見地こそ、まさに七二年五月の「日本復帰」という名の沖縄併合であった。真久田はレーニンが「分離の権利（自由）」を「離婚の権利（自由）」に置き換える喩法的転位に目を凝らしていた。

たとえば、『レキオス便り』という個人誌の創刊号に収めている「キャビンこぼれ話①」（一九八三年五月三一日）をみてみよう。二人のヨットマンが酒を酌み交わしながらのよもやま話のなかで、昔口癖のように言っていたレーニンが分離の権利（自由）を女性の離婚（自由）の権利に喩えたことを、日本人はわかっていないとして、「実は沖縄問題もこれと同じだということを主張していたわけなんだけどさ、つまりあの復帰のときにね」と振り返り、今でもこの考えは有効だと語っていた。

また、同じ『レキオス便り』二二号（一九九四年七月二〇日）のなかの「新宿漂流」でも、似たような話を紹介していた。建設関係のコンサルタントとして、首里城公園の展示計画検討委員会の先生方に同行しての出張旅行で、都庁と目と鼻の先にある新宿副都心のホテルに宿泊することになったが、新宿は一四、五年ぶりだったことがあの叛乱の季節を思い出させることになったからでもあろう。洗練され、均整の整った新宿は、「怠惰と活気と退廃と芽生えた憤怒と諦観が混在」していたあの頃とはすべてが変わってしまっていた。ある夜、一行が小料理店で食事と酒を酌み交わしながら談笑していたとき、どういう風の吹き回しか復帰運動の時代の「反復帰闘争」に話題が及び、「反復帰論とは結局反ヤマト意識からきた感情論で、では復帰がだめならどうすればいいのかという論拠のない陳腐な議論だった」というところに話が落ち着きそうになった。が、新宿という騒乱の街の記憶がそうさせたのか、「反復帰論の先兵」だったことがそうさせたのか、そのまま黙っているわけにはいかず、議論に割り込んで持論を展開する。

新宿の酒場での議論をきっかけにして、当時問題となった論点を遡及して次のようにまとめていた。第一に、沖縄の日本復帰運動が根拠にした「日琉同祖論」は、文化の根っこが同じだから同一民族であると主張することで、「猿と人間が同族であると言うに等しい誤り」であること、第二に、アメリカとイギリスとオーストラリア、ドイツとスイスとオーストリアなどのように、「同民族は必ずしも同国家を形成すべきとはかぎらない」こと、逆にいえば、「違う民族なら必ずしも違う国家をもたなければならないということもない」と言い足してもいた。

そして「反復帰論」の根拠をレーニンの民族自決―分離の権利（女性の離婚の権利）に接合させ、沖縄が日本から分離する権利（自由）を確保すべきであると主張したこと、「だが」と続けて、「当の沖縄（民族）がそのような権利よりもともかく早く日本と結婚したいといって、実際結婚してしまった」ことなどについて触れ、「もうしようがないじゃないかというのが復帰後のわたしの総括であった」と言い添えてもいた。

さらに、近くに目を移すと『うるまネシア』第五号「特集・沖縄一〇〇年、ちょっと豆腐を」(二〇〇三年五月)の巻頭言を真久田が書いていることに出会う。ここではひねりを効かせた説話にしていることに、ある種の余裕さえ感じさせられる。沖縄が日本になったのは一〇〇年前のことで、一〇〇年はそう遠い昔のことでもないと考えれば、沖縄が独立して「邦」になることを創造することはなんら不思議なことではなく、夢物語でもないことを友人たちと話していると、ある人が紹介したという笑話をネタに、自説に導いていた。

宮古島で、ある日、ある若い妻が夕げの仕度のため島サバ(草履)を履いて、ちょいと豆腐を買いにいったっきり戻らなかった。別に北朝鮮に拉致されたわけではない。要するに離婚しただけの話なのだが、ふと「反復帰闘争」の頃、よく議論したことを思い出した。／レーニンはロシア革命の渦中における大激論の中で「民族の自決＝分離・独立権とは、女性の離婚の権利と同じことだ」と大まじめに論述した。沖縄問題もそれとまったく同じではないかと、復帰当時よく議論したものである。／あれから三〇年もたったのだから、このあたりで我々もちょいと豆腐を買いに出かけてみようじゃないかと。

ヨットのキャビンのなかでのよもやま話も、一四、五年ぶりに訪ねた新宿の夜の議論も、ここでの宮古島のちょっと豆腐を買いに出かけるエピソードも、ニュアンスの違いはあれ、真久田においては《民族自決論》が復帰後の「本土」との系列化や一体化の流れのなかにあっても、希釈され、打ち消されることなく、そのつど思い起こされ「日本復帰」とその後の時間を審問し続けてきたということである。

この分離の権利（自由）―離婚の権利（自由）は、沖縄の復帰運動が日本と沖縄の関係を、親と子に喩えたことを批判的に転生させ、異なる次元に移し換えていくことにもなっていた。親と子の血縁には拒みようがない宿命論が忍び込んでいる。その〈親―子〉の関係から〈男―女〉の対なる関係へと組み換えることは、いわば自由と意志論を介在させることでもあった。そのときはじめて主体の問題が根源的に問われていく。親子から男女へ、血の論理（宿命）から自由の論理へ、何よりもサバルタン的な女性の側からの視座を導入することによって、沖縄がかかえる問題の位相を持続的に問い直していった。「ちょっと豆腐を買いに出かける」という説話には、関係の革命が装填されていたのである。そのことは真久田が沖縄に帰還後、民間の建設コンサルタントの職に就き、海とヨットに魅了され、児童文学や詩や小説を書き継いでいく根拠にもなった。

小説になった真久田正と「ジュゴンの海」

二〇二〇年一〇月二七日に亡くなった、沖縄初の芥川賞作家・大城立裕に『レールの向こう』（新潮社、二〇一五年）という小説集がある。『新潮』に断続的に連載した短篇をまとめたものだが、第四一回川端康成文学賞を受賞する。その贈呈式のあいさつで、妻の病で図らずも初めて私小説を書いたこと、急逝した作家の追悼特集号への原稿を依頼されて断ったその作家のモデルは、二〇一三年に六三歳で亡くなった詩人の真久田正であることを明らかにしていた。作品のなかでは真謝志津夫となっている。

タイトルにもなった「レールの向こう」は、脳梗塞で倒れた妻の看病を通して、それまで日々の暮らしのなかで忘れかけていた妻や二人の息子や妻の妹などとの関係の襞が残り火をいつくしむように描かれている。後遺症の意識障害によって思いがけない方向から遠い過去が不意にやってくることに戸惑いながらも、あえて「お前」と親密さを込めて妻との来し方に注がれた著者初の私小説だというが、この小説を動かすもう一つの動線となっているのは、妻が入院した市立病院の病室の前のモノレールの鉄路の向こうの団地に住んでいた真謝志津夫の存在である。

ある日、亡くなった真謝が所属した同人誌の追悼特集のために原稿依頼が届く。が、すぐに断りの返事を出す。理由は「真謝という遠景をお前に近づけて、お前への思いを薄めることを、いまの私は拒否したい」という思いからである。しかし、原稿依頼を断ったもののわだかまりが残っているところに、真謝との思い出が忍び込んでくる。大城のなかの真謝志津夫は、「熱い胸板とふてぶてしい口髭に、眼だけが笑っていた。いつの間にか古典の勉強をしたものか、琉球古謡のおもろ語を駆使して現代詩を一冊分も書いた」という異端的な印象を残す存在としてイメージされる。地元新聞社が主催する文学賞の選考委員をつとめたときに、候補作として真謝の原稿がもたらされるたびに緊張と願いの錯綜するものが見え隠れしたことや船舶メカにこだわりすぎる内容への、期待するがゆえの不満などが間に挟まれる。

そして、ヨットの帆走に招待されたときのエピソード——濃紺の海を走らせていると、真謝が古謡おもろの語彙と文体で見事に一冊の詩集を編んでみせたその思考の基礎や海洋と船のメカへの愛が真謝の文学のなかでうまく溶け合っていて、そのこころよさを小説にも書いてみせてくれと言うと、「西表を走って、それを思ったことはありますね」という答えが返ってきたことから、西表の風景を思い出し、祖納という西端の部落での他処ではみられない神話的なグザという名の魚の漁法について話す。真謝は「聴いているのかいないのかわからない眼」で目指す方向を見る眼をしていたが、「帰りましょう……」といういきなりの声で、話の続きもセーリングも中断される。エンジンの調子がおかしくなり、引き返すことになった、という回想のあと、この小説のモチーフとかかわってくる記述で繋いでいた。「その記憶が、いま電車に乗って、坂を登ってくるように思った。ヨットに今でも居残っているはずの真謝の霊《まぶい》がその電車に乗ってきて、眼の前の駅で降りるとしても不思議ではない。その霊はひょっとして、この私とレールを挟んでの縁を予感していたのではないか」と。真謝のマブイが予感したかもしれない私との「レールを挟んでの縁」、その縁とは真謝の最後の小説とかかわっていた。

妻の退院が迫ったある日、真謝と格別の付き合いをしていたらしい新聞社の事業部の職員と病院の廊下で鉢合わせになり、そこでの立ち話で、真謝が受賞した「ジュゴンの海」が話題になる。「ジュゴンの海」は、かつてヨットの上で話した西表・祖納の神話的なグザ捕りの話を題材にして書いたものに違いないと「私」は想像する。が、ヒロインの出産とジュゴンの生態が島の祭祀と絡む、「大らかな生産予祝の物語」になっていて、「堂々たる土俗のテーマと過不足のない描写をもって受賞作に推した」という顚末が語られる。大城は実際の選評でも、同様の感想を述べていた。

「レールの向こう」のなかにでてくる「ジュゴンの海」とは、第二七回（二〇〇一年）新沖縄文学賞受賞作「鱬鯢《ざん》」のことである。「ザン」とは沖縄の言葉でジュゴンのことである。小説「鱬鯢」の粗筋はこうなるだろう。島がその祭儀を中心にして自転し、公転すると言われた、三日間行なわれる「ニレー祭」の最終日の「引留《ぴきどみ》」のとき、絶えて久しい海の神ザンを呼び寄せる祭祀儀礼と生命の誕生へと至る過程が紡がれていく。そのことにヒロインの失意と祖父母の住む島への移住、海に抱かれる島の暮らしと人模様、ザンをめぐる島の歴史と生態の不思議、外来の眼と「ザンヤー」と呼ばれた南風盛のお爺の掟をまもるかたくなな身の処し方などが絡み合っていく。物語の結び目となっているのはヒロインが妊娠していることであるが、そのことがまた妊娠相手の男との関係やイルカの特殊な交信能力と連接され、複雑だが重要な流紋を描いていく。イルカやジュゴンなどは電波を発し方向を定めたり交信したりするが、妊婦に対して特別な反応をすることから、ザンを呼び寄せる物語の筋を作っていくことになる。この「鱬鯢」は「ジュゴンの海」によっては見えてこない影の言語が装塡されていることを、大城立裕は知ることはなかった。

「昭和四七年四月二八日」に生まれて

新沖縄文学賞を受賞した真久田正の「受賞のことば」はこうなっている。「沖縄は独立した方がいいと思う。自分はそれを生涯かけて粘り強く世間に訴えていきたいと思っている。詩や小説を書くのはそれがいわば究極の目的だ」。いきなりの沖縄独立宣言に面食らってしまうが、「ただし」という留保を入れ、「そういう思いをストレートに詩や小説に持ち込むのは本意ではない。だから、やんわりと物語を紡ぎながら、あまり気負わず、じっくりと書きつづけていきたいと思っている」と言い足してもいた。だとしても、「究極の目的」は書くことへと赴かせる矢印になっていることは疑いようがない。

これと似たような趣旨を、真久田は「太平山」と「セイシカの花」によって第三回青い海児童文学賞の〈創作昔ばなし〉と〈短編児童小説〉の二部門のいずれも優秀賞をもらった「受賞のことば」でも述べている。すなわち、会社の仲間たちと共同でヨットをもっているが、その名は「レキオス（琉球人）」としたこと、そう名づけたのは復帰後、何もかも「本土」と系列化され、沖縄の独自性が失われたような社会風潮のなかで、かつてのような独立国としての独特な文化と海洋民族としての心意気を取り戻したいという願いがあったこと、ヨットで海に出るとき、少年の頃のようにいろいろな夢を描き、海は琉球人の原点だということ、そして「だから、せめて沖縄の未来を担う小さな同胞達に琉球人になりたかった淋しいおじさんからの海のメッセージを送りたいと思っている」と記していた。

ここで言われている「琉球人になりたかった淋しいおじさんからの海のメッセージ」や、「鱬鯢」での「究極の目的」や「物語を紡ぐ」ことの意味を敏感に嗅ぎ取ったのは岡本恵徳であった。新沖縄文学賞の選考委員は大城立裕と中沢けいを含めた三人であるが、岡本は選評のなかで、「鱬鯢」が「新しい『物語』をつくりだそうという意欲に充ちていて、『物語』をつくるために細部まで配慮していること、また『物語』の背景にまで広い知識と目配りがある」ことなどを挙げていた。「民俗的な祭祀儀礼が物語の中にスムーズにとけこんでいるのは興味深い」とも述べ、そんな物語を創り出す性格の作品は、「純文学色が色濃い従来の新沖縄文学賞」とは異質な印象をあたえるとも付言していた。

明言しているわけではないが、岡本が着目した『物語』をつくりだそうという意欲」こそ、内部生命となった〈自決―分離〉の自由への消えない思いからきていることはまちがいない。ただし、繰り返すが、それをストレートに作品のなかに持ち込み、文学の自律性を政治に従属させる愚を犯すことに対しては抑止的であることを、よもや忘れてはならない。ここでの狙いは磁力のように真久田の想像力を燃やし続けることをやめない、あの内なる〝巡査ムィムレシォフ〟の拘禁を解き、「物語」をつくりだそうとする意欲を「鱬鯷」のなかで探りあてていくことにある。

たとえば、ヒロインの女性によって島の町役場の出張所での住民異動届に「氏名・神山紀子・生年月日・昭和四七年四月二八日」と記入された、「昭和四七年四月二八日」という出生日。「昭和四七年といえば、復帰の年だから、ちょうど三〇か」と出張所所長で、島で生まれ島で育った新垣三雄が計算したように、この年は沖縄の現代史にとっては忘れがたいメモリアルな年である。とりわけその前年の沖縄国会で反復帰・沖縄自立の立場から沖縄の「復帰」に異を唱えた国会内決起の当事者であってみればなおさらである。西暦表示から元号へ、一九七二年から昭和四七年へ、この移動には、沖縄の日本国家への併合が象徴言語として埋め込まれているといえよう。

そして「四月二八日」。この日は「ヨン・テン・ニー・ハチ」とか「ヨン・ニッ・パー」と呼称され、沖縄をアメリカの占領に委ねたサンフランシスコ講和条約が発効した日である。だとすると、「昭和四七年」と「四月二八日」という組合せは、二つの世替わり、つまり、アメリカ世とヤマト世の交差と複合がねじれとなって同在させられているということになる。「日本復帰」という名の併合の年とアメリカの排他的占領が決まった日、沖縄が戦後公用していた西暦から元号の体制に組み入れられたこと、だが、それでもアメリカの占領状態を決した起点は消えることなく沖縄社会を規定づけていること。こうしたそのつど沖縄のひとびとの意識空間に呼び出される年月日を出自にもった神山紀子という女性は、歴史から呼ばれ、歴史を呼ぶ、島々の意識と身体にいくつもの傷を入れた力を分光し、また集光していく実存体にもなっている。神山紀子はいわば、作者・真久田正の物語を創り出す「究極の目的」にもなった〈自決―分離〉の自由から〈海の邦〉へと至る旅を行為遂行する、だが、それをあからさまに出すことはなくシャドウ・ワークのごとくやんわりと紡ぐアイコンにもなっているということである。

このことに接近するため、もういちど『レキオス便り』の創刊号と二二号で、レーニンが自決権〈分離の自由〉を離婚の権利（自由）に喩えたことを、沖縄問題を考えるうえで有効だとしたこと、にもかかわらず、当の沖縄自身がそのような権利よりも日本との結婚を望み、実際結婚してしまった、と「復帰」と復帰後の沖縄について述懐していたことを思い出してみよう。「復帰」とは真久田にとって沖縄と日本とのアポリア的な出会い、いや、出会い損ないであった。そのことをよく見える形にしたのが、《民族自決論》の喩法的転位であった。日本と沖縄の関係をそれまでの〈親（父・母）―子〉の血縁と主従のフェーズから〈男―女〉の選択と自由のフェーズに移し変えることによって、主体と決定を介在させ、それによって拓かれるであろう可能なる時空を再考していくラインを敷設することである。くり返すことになるが、〝血の論理〟から〝自由の論理〟への転位である。この喩法的転位が関係の革命へと赴かせた意味を無視することはできない。

〈ザン〉と〈異風〉と〈どぅたっち〉

小説「鱬鯤」には、〈結婚―離婚〉をめぐるペアの組合せが二組登場させられている。ひと組は神山紀子が妻子ある男と結婚の約束をするが、父方の祖母によって拒絶される、許されざるペアの例である。男は交通事故で死に、その後紀子は妊娠していたことが分かり、その子を産むために母方の祖父母が住む島に帰ってくる。問題になってくるのは、男女のペアに介入してくる歴史意識となった声であり、振る舞いである。どういうことかと言えば、結婚の約束をし、孕んだ子の男親が「大和人《やまとんちゅ》」であることから、母が嫁いだ実家の祖母が「妻子持ちの大和人とは絶対結婚させない」と大反対したことであり、男が交通事故で亡くなったときも「それみたことか」と突き放されたことである。ここで言えることは、自然性が歴史性によって変形されるということにあり、自由であるべき男女の対関係の結び方が、沖縄が負った傷の集合的記憶によって撓んでいくということである。この変形と撓みにねじれていく「物語」の複雑な構造を読むことができるだろう。

もうひと組みは、町役場の出張所所長である新垣三雄と隣の島のリゾートホテルのダイビングインストラクターで大阪出身の女性とのペアである。二人は結婚の約束までするが、女は島の伝統行事や祭祀、芸能や親戚づき合いなどにはいっさい関心を示さない。そのうちホテルで知り合った同じ大阪の金持ちのどら息子といい仲になり、ある日突然島から姿を消す。その後、新垣は「結婚」という言葉に億劫になった、ということになっている。

この例は、復帰後のリゾート化された沖縄の島々でよくあるケースにすぎないにしても、ペアを結ぶには生活感覚や価値観があまりにも違いすぎることが失敗の原因とされている。紀子の対を阻むのが母の嫁ぎ先の「ヤマトンチュー」への忌避だったことに対し、新垣の場合はそうした歴史からの声はだいぶ希薄になっている。つまり〈ヤマト―沖縄〉という対項を成り立たせる境界が縮減され、問題があるとすれば〈日本のなかの〉という枠内での地域差に移ったということを意味している。「復帰」後の日本・本土との系列化や一体化が沖縄の島々をも例外なく洗ったことに起因する現象だということができるだろう。島と共同体を律し、活かしてきた〝神々の死〟はその象徴だった。

神山紀子自身の関係意識もまた「復帰」後の変化を自然のように生き、父方の祖母のようなヤマト嫌いは疎外の一形態とみなされる。だが、「昭和四七年四月二八日」という〈とき〉を生誕の日にもったことで、避けられず呼び込んでしまう歴史からの声とまなざしが影になり日向になり紀子にまとわりついてくる。沖縄ではその年に生まれた世代を〈復帰っ子〉として、何かにつけ特別な視線が注がれる。五歳だろうが一〇歳だろうが、また二〇歳になっても、五〇歳になってさえも〈復帰っ子〉であることに変わりはない。注意深い読者ならすでに気づいていることだろうが、真久田が元号の「昭和四七年」と「四月二八日」を組み合わせた意味、あえて言えば「復帰」という名の併合とアメリカの占領の継続性、「復帰」とはまぎれもないアメリカと日本の共犯によって実現したことが含み持たされているということである。忘却に抗い、世替わりを刻んだ記憶を喚起し続けるシグナルとして。その年のその日は、読む者に「忘れるな」と呼びかける歴史からの声にもなっている。それゆえにまた、その共犯性からいかに解き放たれていくのか、というもうひとつの課題を忍び込ませてもいるだろう。ここではそのダブルミーニングが何であるかは、物語が象徴にまで高められていくエンディングの、甦ったザンを呼ぶ共同の祭祀儀礼とザンという伝説をまとった〈人―魚〉合体の生態的象徴性がネックになっていることを示唆するのに止めておく。

この年のこの日をヒロインの生誕に選んだこと、そして二組の男女の対の挫折と再生への予感を組み合わせたことに、物語創造の意欲を読み取ったとしても筋違いにはならないだろう。紀子は結婚を約束した妻子ある「大和人《やまとんちゅ》」の男の死で、新垣も同じように結婚を約束した大阪出身の女が他の男との駆け落ちで挫折するが、海の神ザンを呼ぶ儀式への参入によって新たな対の生成が言外の言として予感されている。その言外の言の深層には「昭和四七年四月二八日」をめぐる集合的記憶や歴史意識の批判的乗り越えというテーマが伏在していた。このテーマが物語の中心にせり上がってくることはないにしても、影の言語となって物語の縁に複数の喩を送り返しアレンジャーの役を果たしているのがわかる。「鱬鯤」を読むことは、内部生命となったレーニンの《民族自決論》からの谺を聴き取り、影の言語を探りあてることにもなるだろう。

その谺と影の言語は、たとえばこんな気配のようにやってくる。紀子が島に着いたその日、迎えに来たお爺の車の車窓から吹き抜けてくる風に「――やっぱり島はいいなあ」というつぶやきに込められた遠い懐かしさ、イルカや海の哺乳類が妊娠した女性と交信できる特殊な能力をもっているということに啓示を受け、紀子のもとを訪ねる新垣がそよと吹き抜けていく「南風《はえ》」に「忘れかけていた幼児期の甘い記憶が夏の敗歴のように染みだし、張りだし、這いだしきた」濃い気配と、その先に発出された自分のものなのか島の共同体の祈りに近い願望からくるものなのか判別できない「ザンを呼び寄せてみませんか?」――その声はさらに「あの娘は海の神が遣わせた神女だ。祭りを守り引き継ぐために神が遣わせた女」であり「次の時代の神女だ」と御嶽祈願の夜、島の最高神女オモトお婆の神口《かんふつ》へとうねっていく。

「ザンを呼び寄せてみませんか?」という問いかけと誘いかけ、自―他がないあわされた声音《おーん》は、紀子へのペアを新しくする呼びかけであり、久しく途絶えた海の神ザンを迎える祭祀儀礼の再生であり、そのことを通じた島の根を建てることでもあったが、まなざしと集合的記憶をめぐる政治のパラダイムチェンジへの促しでもあった。ようするに、〈男―女〉の関係が祭祀儀礼を甦らす取り組みを通しての島の共同性をめぐる再生と再創造へと接合されていくということである。そのことを構造として、いや、構造とその輪郭を描き上げたのが、この物語の極みとなる、久しく途絶えていたザンを迎える海中の儀式であった。儀式は紀子の出産とザンの出産と重なることでより象徴性を帯び、加熱させられてもいくだろう。

では、海の神ザンを迎える儀式とはどのように執り行なわれ、それが島の共同性の再生と再創造に繋がっていくのか。それはこう描写される。ザンヤーといわれた南風盛のお爺を中心に左右四人の男女が手をつないで海に入っていくところからはじまり、その列は次第に弓状にたわみ、胸のあたりまできたところで、全員がそれぞれ「脳裏の闇の奥」に向かい祈りをささげる。「細ら波《ささ》、清ら波《きゆ》が静かに胸に鼓動」し、「白南風《しらはえ》」も頬をなでる。紀子は無事出産するよう祈り、南風盛のお婆は「ざんやー」の祖先に祈る。そしてオモトお婆が神口《かんふつ》を唱える。と、その神口《かんふつ》に促されるように紀子のおなかの子が海のなかで胎動し、やがて真っ青な海に水色の影がやってきてパシッと水が跳ねる。二頭の乳白色の生き物が重なり、もつれ合いながら紀子に近づき、人の列が乳白色の生き物を招き入れるように列の両端が弧を描いていく。ザンを迎える儀式が輪郭を結ぶとき——

三日月の尖端が次第に狭まってくる。やがて人の輪は満月の穂花になった、穂花は二頭のそれを囲む。人の輪の新麦《あらむぎ》や穂麦《おろむぎ》やが一の船頭《ともおそい》、天《あま》の者々達《ものものぎゃ》が互いに海を取り囲み、さらに狭まってくる。それはもう目の前にきていた。／——むかし見たのとまったく同じだ！　新垣は驚嘆した。まるまる太った月の海獣である。

島人たちの輪がつくった満月のなかで〈人—魚〉一体の月の海獣は子を産み、月の海獣の特殊交信能力に反応した紀子の胎内に宿った臨月の子もまた子宮をこじ開ける。満月と月の海獣と臨月、この月をめぐる二重、三重に重なり絡まり合う位相は海と島とヒトの結びつきのアレゴリーにもなっている。このザンを呼ぶ儀式を通して、ヒロインの紀子が体現してきた〈昭和四七年四月二八日〉という歴史記憶が第三の領域へ渡ったことを告げていることに気づかされもするだろう。出生の日付に込められた転形期の政治とヒロイン紀子が結んだ〈対〉は世界観を孕みながら〈海の邦〉へと分光され集光されていく。純文学ではない物語によって騙り取った、そこ。この場所は、真久田が述べた「究極の目的」としての《自決》論による分離の自由を物語空間として想像し創造したということになるだろう。歴史を呼び、歴史に呼ばれるという対位法が月の海獣ザンを迎え入れる島びとたちの共同の力によって結像したということである。人と魚が合体し伝説をまとってひとびとの意識に訪れてくる人魚は、稀少性と聖性を与えられ、琉球弧のひとびとの暮らしの営みと祭祀を賦活してきた。やがてこの海から絶滅していこうとしているザンが、「ぷーる」と「ばんちゃぬふっちゃー」の作者と出会うとき、新たな物語は生まれなければならなかったのだ。

ザンの生息範囲は西太平洋からインド洋の熱帯及び亜熱帯の海域まで及び、その北限は沖縄・奄美の南西諸島の北緯30度あたりになっている。このジュゴンの生息範囲の北限は、真久田にとっては等閑に付せない意味を帯びていた。なぜかと言えば、北を限ることは認識論的な転換にもかかわっているからである。沖縄を日本の南へ囲い込む枠組みを、アジアの北として組み換えること、北の南から、南の北へ、〈ザン〉を物語空間に招き入れることとは境界の位相変容から、アジアを、海の邦を、その緯度と経度を孕み直すことでもある。第二詩集『真帆船のうむい』に収められた「異風」はこのことへの理解へと導いてくれるだろう。

しごせんせいちゅうじに
すいへいせんから　のぼりつめて
てぃだのたかさに　たどりつけば
90°－L±Dで　じぶんのいどがわかる
しまうたながれは　いふうなむん

【子午線正中時】子午線に太陽が最高度で正中する瞬間の時　【太陽《てぃだ》】【90°－L±D】「子午線高度経緯度」〔船位の緯度を測定する方法〕の基本方式。

せかいのじかんから　じぶんのじかんをひいて
じゅうごをかければ　けいどがわかる
うみのおもいを　よこじくに
しまのなさけを　たてじくに
きんかいくいきに　どぅたっち

【「世界の時間から～経度がわかる】子午線正中時に世界時から地方時を差し引き15度をかければ船位の経度が推計できる　【近海区域】東経94度～同175度、北緯64度～南緯11度までの海域。ここではアジア海域を想定　【どぅたっち】自立、独立。

この詩からは、潮の流れや風の方位、太陽や月や星の瞬きへと感応する感度と知恵で培われた地政学があり、「おもろ」の〝詩嚢〟によって招き入れた世界観が読み取れる。「うみのおもいを　よこじくに／しまのなさけを　たてじくに／きんかいくいきに　どぅたっち」と謡いあげた「海の思い」と「島の情」の交点に結像させた〈どぅたっち〉、それはまた喩法的転位によって発見された緯度と経度であり、その出会いによって出現した〈関係の革命〉でもあった。〈ザン〉とはアジア海域を遊動する自立沖縄のメディウムなのだ。小説「鱰鯸」は、かつての観念的で早激的でもある言葉たちを「バカたれ」「アホたれ」と叱りつつ、それでもなおそこに残余として揺れのぼっていく「最終意見陳述書」のなかに書き印した、〈在日〉の死者たちの無念を遠い原点にした〈海邦〉へのログブックでもあった。そして最後にやはり言うべきであろう、真久田正という〝隠れレーニン主義者〟の内部生命となった《民族自決論》の琉球弧の島々への童話や詩や物語を繋いで着床しようとした旅の起点には、獄窓から啓示のようにやってきた声、いや、声が運んできた一対の謡、「ぷーる」と「ばんちゃぬ　ふっちゃー」があった、と。

この「在所」越えて――極私的に、存在了解的に

入院している、と聞いた。見舞いに行かなくてはと思いながらもなぜかそうはしなかった。しばらくして容態が悪いことを知らされた。ジュンク堂向かいのビルの二階にある上間常道が主宰する出版舎Ｍｕｇｅｎの事務所から灯りが消えた状態が続いていたので、その時が来るのは近いかもしれないと気にはなっていた。それでもやはり躊躇わせる何かがあった。

ずいぶん前に胃病の手術で入院したとき一度見舞ったことがあったが、そこでやや関西訛りが混入した「よせやぃ」という無言の声を聴いたことが妙に引っかかっていたからなのかもしれない。見舞う―見舞われる関係へのただの照れか、見舞ったときの間を保つことができなかっただけのことだったかもしれない。しかしそのときの無言の言はもっと別のニュアンスが含まれているような気がした。勝手な思い込みかもしれないが、それはどうやらあの叛乱の季節をくぐったことによって刻印された傷に起因しているようにも思えた。

炎暑が続いた隙間に、いっとき潜り込んできた曇り空からときおり雨が落ちていた昼下がり。灰色のアスファルトの小さな窪みに残っている水の紋に切れ切れに映った曇天を跨いで遺体が安置された

二階の部屋に入った。まだ棺には入れられず死の床に仰向けになった亡骸に対座する。しばらくして送りびとがあらわれ、自我を抜かれた顔に死化粧を施しはじめる。そのままされるに任せている絶対的な孤独の顔貌を見るとはなしに見ていると、不意にあの声が聴こえてきたような気がした。このときは〈なぜ〉を宙吊りにした不分明なものではなく、はっきりした輪郭を結んでいた。単独であることを他性において分かち合うことで成立する納得の仕方のようなもの、つまり〝存在了解〟ということである。

五年前、実は、あの時代を生きたもう一人の友を見送ったとき、その死を追悼する上間の短い言葉にそれを目撃していた。「真久田正よ！／今、君との四十年の付き合いを振り返っている。／さまざまな想念は浮かぶが、言葉が出ない。／多彩な才能を全面開花させる前に君は逝ってしまった。／そのことはとても残念だが、／君のしてきた仕事は沖縄にとって極めて貴重なものだった。／真久田正よ！　ほんとうにお疲れさまでした」（「うるまネシア」一六号、二〇〇三年）。

〝存在了解〟とはおそらくこのような沈黙を介在させた関係の思想というものだろう。この一文を読んだときあまりのシンプルさに意表を衝かれたが、「言葉が出ない」という一点にすべてが凝縮されていた。黙することによって在らしめる、そのような一文であり、抑制された言葉の奥で何かに耐えている上間がいた。その彼が今度は見送られる人になった。「お疲れさまでした」とはけっしていわないが、私にできることは、浮かんでは消えていく想念の向こうで瞬き返す我らの時代の遍歴史をせめて訪ねていくことぐらいしかできない。

語ろうとしてもつれる舌の来歴

あの叛乱の季節の、あの体験を語るにはいつも困難がつきまとう。濃淡の差はあったにしても、その渦中にいた者の多くはけっして多弁を弄することはなかった。語ろうとしても語り難く、やむなく沈黙せざるを得なかった。その沈黙の内に傷を負い、傷を負わせたことのやるせなさを測っていたのだろう。ここでやむなく「傷」と言ってしまったが、個別にそうであっただけではなく、類としての経験としてもそうだということである。政治から文化の全領域にまで及んだカウンター行動や既存の価値を組み換えようとするラディカリズムがやがて、内側にめくれるように翳っていく内訌を同時代体験として持ってしまったことと無縁ではない。これまでも、またこれからもおそらくあの時代の経験を語り尽くすことはできないだろう。ただもつれる舌の苦さにおいて今に問いかけることをやめることはないだろう。

日本の戦後の価値を体現した戦後世代が、ほかならぬその価値を自己解体的に越え出ようとした六〇年代後半から七〇年代はじめにかけての叛乱の季節に、アメリカ統治下の沖縄を離れ「本土」に渡ってきたわれわれ世代は、首都の中間色の風景にはうまく染まり切れない異貌の風体のようなぎこちなさがあった。ここであえて異貌といったのは、後に〈沖縄・戦後ゼロ年〉とも表現された場を生かされた沖縄が、日本の戦後的価値生成のために包摂されつつ排除される、捩じれとも両義性ともとれる関係とかかわっているように思えた。したがって戦後なき戦後を生きた〈出沖縄〉として「本土」に渡ってきた群像は、アメリカの傘の元でドメスティックに「平和」と「民主」と「経済」の高度成長を謳歌する価値を自己解体的に超出しようとした思想と実践に出会うにしてもV字型にならざるを得なかった。

そのV字型の交点に、二つの異なる戦後を生きた世代が居心地の悪さを感じながらも時を同じくしたということになる。新左翼というときの〈新〉も全共闘運動というときの〈共闘〉も、沖縄やヴェトナムと出会うことによって外へ、他なるものへと開いていくきっかけが与えられたといえようが、他方、われわれの側は異貌を、異邦性を消すことなく叛乱の季節へ紛れ込む以外なかった。七〇年安保と沖縄とヴェトナムが状況の尖端にせり上がっていく転換期に、沖縄の日本復帰運動は戦後世代が〈否〉を突きつけたドメスティックな価値を過度に膨らませ、それに身ぐるみ一体化していくことをめざしていた。アメリカ統治下の不条理からの脱出をめざすとはいえ、その内実はまぎれもない、写真家の東松照明がいみじくも言い当てたように「アメリカから脱出しようとしてもう一つのアメリカに帰る」という茶番を演じたのである。

我ら若きオキナワたちにとって、出郷してきた沖縄の「日本」を求愛する運動が陥った罠に対して、そうではない、それではダメだ、と打ち消す思いに駆られては沖縄に悩み、島に迷った。悩み、迷いつつ暗中を模索するなかから首都の風景とV字型に対面している〝異貌の生〟を思想化する以外なかった。その途上で〈在日性〉を発見し、〈反復帰論〉と出会った。それは、国家統合を下から補完し、アメリカの覇権のもとでの自閉的な「民主」と「平和」へ無批判的にインクローズしていく復帰運動の心情と論理へ〈反〉を突きつけていくことになった。言葉を換えれば、日本を「祖国」と見なし、その懐に抱き取られることを心情的な核にしていた運動（素朴な民族主義から反戦復帰、平和憲法下への復帰、完全復帰などと衣替えしたにしても）と、そうした運動のもとで規律訓練させられた沖縄戦後世代の内なる属性を剝ぎ落していくことであり、それはもうひとつの〝わが解体〟にもなった。日本「本土」の同世代の群像が否定をバネに自他の状況をゆさぶったムーヴメントやカウンターナラティヴとの出会いを、Ｖ字型といささか青臭い言い方をしたのは異なる二つの〝わが解体〟の意味からである。

そうした〈在日〉の発見と〈反復帰論〉との出会いから誕生したのが「沖縄青年委員会」であった。当時、沖縄出身の学生や集団就職の若者たちを誘い込んだのは「沖縄県学生会」や「沖縄県人会」、そして研究や親睦を目的にした無数の小さな大学内のサークルであった。それら既存の組織のほとんどは沖縄現地の高揚する復帰運動に呼応して活動していた。その主流が大きく揺さぶられたのは七〇年を目の前にしてからであった。六〇年代後半になって沖縄―本土の円環的相補性に気づき、乗り越えようとしたのが「沖縄闘争学生委員会」（通称「沖闘委」）であったが、〈在日沖縄人〉と〈反復帰〉を昂然と掲げ、自立を思想的根拠にしていったのは沖青委（その前身は沖縄問題研究会〈海邦〉）だったと見なしても過言ではないだろう。むろんその過程にはジグザグや試行錯誤があったが。

しかし、その〈在日〉を生きる実践主体にも吹き荒れたニューレフトの路線闘争が持ち込まれ、二つに分裂していった。一つは復帰路線を行動主義的にラディカルにしただけの「沖縄奪還」を主張する集団（通称「沖青委〈中核派〉」）であり、もう一つは〈在日性〉を根拠にして〈反復帰〉と〈沖縄自立〉

をめざす集団（ガリ版刷りで発行していた沖青委の小さな機関紙「海邦通信」の〈海邦〉の名をとった「沖青委〈海邦派〉」）である。分裂とその後の暗闘を経て、〈反復帰〉と沖縄の〈自立〉をめざす集団は、より旗幟を鮮明にして沖縄青年同盟に改組され、日米共同声明路線にもとづく沖縄併合の共犯的儀式としての「沖縄国会」で、第三の琉球処分粉砕と在日沖縄人の行動を呼びかける国会内決起（「国会爆竹事件」）へと打って出る。三名の逮捕後の東京地裁では沖縄語による意見陳述を試みる、いわゆる「沖縄語裁判闘争」を取り組む。私は研究会から沖青委の結成、そして沖青同の結成にかかわった一人だった。

　この沖青同の実践は、復帰運動を主導的に担った沖縄の先生たちによってなされた「国民教育」や沖縄の言語を自ら貶め、日本語・国語を刷り込んでいく「国語・共通語励行」運動によって訓育され、内面にまで及んだ「祖国（日本）」を自己解体的に超克していくことを意味した。そのことによっていまだ復帰運動のイデオロギー装置に囲い込まれてはいない残余を、〝異貌の生〟を、編み直し、組成させていくことになった。日本の戦後的価値をゆさぶった叛乱の季節にV字型に参入し、〈沖縄自立〉を思想的拠点に〈在日〉を生きた若き沖縄たちは、オルグ、プロパガンダ、フラクション、ビラ、バリケード、ゲバルト、状況分析、闘争方針、街頭闘争などのジャルゴンにまみれ、南灯寮や集団就職の職場、清水谷公園や渋谷公園や新宿などの街頭を不器用に繫いで〝わが解体〟と〝わが沖縄〟を中間色の風景に解き放ち、沖縄をめぐる抗いの地図を塗り変えようとしていた。

　上間常道なる男と出会ったのは、そうした錯綜しながらも時代が何かに向かって熱量を高めていく日々のなかであった。当時私たちは「沖縄奪還」を主張する党派以外の新左翼諸党派とは等距離の関係を保ちつつ、行動をともにしていた。そんな集会のひとつに呼ばれアジテーションまがいの沖縄論をのたまっているとき、最前列で熱心にメモを取っている男がいた。その男こそ上間常道だった。集会が終わって、話がしたいということだった。喫茶店のテーブルを挟んで向かい合った小柄で浅黒い顔の真面目そうな眼が、沖青同に入りたいと申し出てきたときのことがおぼろげになりかけていく記憶の向こうからにじり出てくる。その男がいかなる素性の持ち主かなど詮索したり調べたりすることもなく、大阪生まれの沖縄二世だということで歓迎した。東大を卒業し、河出書房新社に務め、ドストエフスキー全集の編集を担当していること、『現代の理論』誌で編集に携わっていたこと、そして新左翼の一角を担うフロント派に所属していたことなどのいくつかは自己紹介的に明かしてくれた。加盟にあたってそうすることが最低限の礼儀と誠意ということだったにちがいないが、そのすべてを知ったのはしばらくしてからであった。

組織経験と運動経験を積んだ彼からしてみれば、初対面のしかもたった一回の接触で加盟を認める、常識を逸脱した野放図ともいい加減ともとれる対応に呆気にとられたということもあとで知った。沖縄青年委員会といい、沖縄青年同盟といい、実践組織には違いないが、組織の生命としての規約や綱領をもっていたわけではなかった（綱領や規約をつくろうという志向はつねにもってはいたが）。〈在日〉〈反復帰〉〈沖縄自立〉の思想に拠り、遊撃的に繋がっていく動的集団だった、と見なした方が当たっている。事実、コアになるメンバー以外は多くの沖縄出身者が流れ来ては膨れあがり、流れ去っては縮む寄せ場的な流動を生命にしていた。

中央線の中野駅と高円寺駅沿線のちょうど中間あたりに事務所を構え、討論やそのつどの集会への取り組み、東京以外から来た者の寝泊りも兼ねた。上間はそこで交わされるゴツゴツした議論に積極的に発言することを控えているところがあり、聞き役に回ることが多く、その姿勢がかえって意志的なものを感じさせもした。彼を仲介するとドストエフスキー全集が社員割引並みに安く手に入れることができるということで、事務所には旗やビラや雑誌などとともにドストエフスキー全集が何冊か乱雑に転がっていた。まともに読む者はいなかったが、ナロードニキの気分にはなれた。

ところで、遊撃的な性格をもっていた結集体がより強固な党的組織を目指し、綱領や規約を必要としたことや裁判闘争や新左翼との関係のあり方をめぐる論議の過程で、内訌の兆しが頭をもたげはじめることになった。そうした兆しには経験的に敏感になっていたつもりでも、強い結合体たろうとする志向と遊撃的な組織でありつつ新左翼や街頭闘争に重きを置くよりも、活動の主戦場を〈出沖縄〉たちに向けるべきであるという考えに分かれはじめていった。その背景には、新左翼の階級闘争のなかにも残存する本土（国）中心主義や在日の被抑圧民族との連帯のあり方をめぐってなされた華青闘（華僑青年闘争委員会）による一九七〇年の「七・七告発」が小さくない影を落としていたが、やはり沖縄出身者独自の体験と結社の思想の違いからくるものであった。そうした内訌と七二年五月の「復帰」という名の国家併合に、私は体の芯から蝕まれていくような疲労と敗北感に苛まれ、しばらく虚脱状態に陥った。

その後、いくばくかの曲折を経て沖縄に帰ったのが一九七二年の一一月だった。上間は三ヵ月後の翌七三年の二月に沖縄に移り住むことになったが、その後も折に触れて会ったりしていた。正職につけないときは、臨時ではあってもアルバイト先を紹介し、また逆にされたりもした。金銭に困ったときは貸し借りも幾度かあった。彼が沖縄タイムスに入社したあとはときどきテープ起こしや校正などのアルバイトをまわしてもらったり、いくつかの企画に誘われたりもした。私の小さな、初めての雑文集『オキナワン・ビート』（ボーダー・インク、一九九二年）の装丁を引き受けてくれたのも彼であった。だが、あの時代のあの体験のことについてはお互いついに踏み込んで話すことはなかった。不思議といえば不思議、奇妙といえば奇妙だが、そうさせたものこそ〝存在了解〟だったということであった。

おそらく、と振り返ってみて思う。あの時代のあの体験は、かかわったそれぞれに語らんとして語り難い何ものかを残すことになった、と。日付と場所の境を失った錯綜する日々、組織の論理に捕縛されたときの軋んでいくお互いの眼の奥に暗く翳っていく一瞬を見てしまったこと、傷つき傷つかせてしまったことを感受性の深みに鎮めてしまったこと。語り難さはそのときの翳りや傷と結びついているからであり、語るとしたらそれを曝け出さずにはおれないことを知ってしまったからでもある。たしかなことは分有された経験の語り難さともつれる舌によって生かし、生かされてきたということである。

母の故郷で〈異邦人〉であること

『言語』（第一二巻第四号、一九八三年四月号）の〈総合特集・沖縄学入門〉に上間常道が寄せた「沖縄１９８３――我が沖縄の10年」は、一九七三年二月に沖縄に移り住んだ事情や仮託した夢と現実との目もくらむ落差、「大和人」に向けられるまなざしと葛藤、それでも紡ぎ出す沖縄論を知るうえで欠かせない一文になっている。ただ東京での沖縄青年同盟を含めての運動経験は注意深く避けられている。というよりも、あの叛乱の季節の〈在日〉を生きた日々が影の言語となって、紙背で静かに瞬き返していることを読まずにはおれない。

「一　沖縄の異邦人」「二　我が沖縄」「三　復帰一〇年――沖縄の変容」「四　沖縄1983」から成るこのエッセイは、沖縄移住一〇年の私的総括ということになろうが、注目したいのは上間の脱出と帰還の遍歴史でもあるということである。このことにおいてこのエッセイは独特な光彩を放っている。上間を沖縄に赴かせたのは、一九六七年の軍事基地をはじめ沖縄の実態調査に一人でやってきたときの経験だったにちがいない。そのときに〈政治としての沖縄〉とは異なる人々の寡黙さや翳りのある、だが意志的な顔つき、何かに必死に耐えているような軒の低い家並み、抜けるようなサンゴ礁の青、つつましやかに自然と向き合っている人々の生活に心を揺さぶられ、それを母のイメージに重ね、書いていた。「故郷へ帰りたいという三十数年来のかすかな希望もかなわず異郷の地で行き斃れた母の懐に抱きかかえられているという感覚をも呼び起こした。ここで生活してもいい、と、ふと思った」。当時の上間の心象が吐露されているようで、とりわけ印象深い。呼び起こされた「異郷の地で行き斃れた母」への思いとその「母の懐」に抱きかかえられているという感覚が、上間を帰去来へと向かわせた。

だが、実際に生活を始めた沖縄の現実は仮託した夢をことごとく破った。ことあるごとに「大和人は……」と向けられた過剰な視線や距離の取り方をかく乱される人間関係に晒され「激しい目眩」に襲われた、と告白する。沖縄にあって〈異邦人〉であることを否応なく自覚させられた。「大和だと言われている何ものかを殺ぎ落としていく」身の処し方は上間の〝わが解体〟を伝えていて興味深い。それは「得体の知れない〈沖縄〉へ身を寄せていく作業」でもあったが、しかしその作業は充実よりも「空しさ」を覚えさせるものであった。「底がないのだ」と追言したことに、陥った深みに難破する姿を想像させる。「夜、ひそかに『沖縄語辞典』を引く日々が続いた」と漏らした沖縄語の習得は、「大和だと言われる何ものか」を殺ぎ落としていくために採ったひとつのいじましい方法だったが、東京での沖縄語裁判闘争で突きつけられた自らの二世性を他ならぬ母の邦において試されることへの必死の応答だったのかもしれない。しかし、その試みは消化不良にしかならず、喉元に突き上げてくるようになったとしても、決して発語されることはなかった、とも言い添えていた。

母の邦によって試され、母の邦を試す、そんな上間の葛藤と格闘があった。「得体の知れない沖縄」に降りていく底のなさを《自我》を指標に、というよりも、《自我》の陥没と解体、だがギリギリのところで捩じれるように出会ってしまう柔らかいもうひとつの沖縄――沖縄社会は上間にとって《自我》を関係の網のなかに引き込み陥没させてしまうと同時に、近代性をまとった《自我》の硬直を柔らかくほぐす共同性をもった両義的な磁場であった。その両義的な沖縄の内界を経験の深みに降りて明らかにしたのが〝わが沖縄〟について述べたところである。「そんなふうに見える沖縄社会にいると、《自我》はズタズタに分解されているという感覚が募り、酒量は増し、酔いは深まるばかりだった」と苦い感慨を込めて述べる一方、次のように書いている。

ある思考の枠組みに沿って発想し行動しているその人の《自我》の硬さが、この大らかで軟らかい風土のなかで、一人合点で身悶えしながら異物であり続けているような、そんな感じに陥ってしまう。／こうした過程を経て十年沖縄は身近にある。過剰な〈大和―沖縄〉という発想軸からも脱しつつある。いまだ〈敵意を見せる眼差し〉と〈やわらかい眼差し〉が交差し合う一点を見つけることができず、相変わらず焦点を結ばない、不明瞭な沖縄像をかかえたままだが、ここで生活していることに不足はない。

「ここで生活していることに不足はない」という着地に至るまでには身を削るせめぎ合いがあったことを忘れないでおこう。ここから読み取れるのは、〝わが解体〟の途次で揺れながらも覚知した決心のようなものである。異なる二つの眼差しが「交差する一点を見つけることができず」とか「焦点が結ばない」とか「不明瞭な沖縄像」という言葉にいまだ途上であることが含みもたされているにしても、注目しておきたいのは〈身悶えする異物〉であるとしたこと、過剰な〈大和―沖縄〉という発想軸から脱しつつあるということである。一〇年を経た上間の〝わが沖縄〟があった。

〝わが沖縄〟と〝わが解体〟〈敵意を見せる眼差し〉と〈やわらかい眼差し〉に挟撃されること、〈身悶えする異物〉である以外ないという自己認識とズダズダに分解された《自我》に、「酒量は増し、酔いは深まるばかりだった」と述懐していた言葉に、上間を知る誰もが一度や二度ならず目撃したであろう、酒と夜の日々を思い浮かべるにちがいない。酒がまわってある閾値に達すると、沸点を越えたように突然嵐に変わる。自らの内に食い込んでくる〈敵意〉と〈やわらかい〉相反する二つのまなざしのせめぎ合いを投げ返すように、あるいは陥没した《自我》がのたうち返すように、抑止していた囲いを突き破る、まさに異物の身悶えの様相を呈して、座を乱した。

周囲の誰彼の別なく、喧嘩をふっかけるサマは露悪の度を強め荒ぶっていく。指弾された当人は面食らうが、実はその露悪は捩じれた自傷行為でもあったのだ。そうであるがゆえに、彼が他人を殴り怪我させたということはなく、殴られ怪我させられるのはいつだって彼のほうであった。顔のどこかに生傷を負っているのを見るのは一度や二度ではなかったし、メガネを毀したり失くしたりしたのも二度や三度に止まることはなかった。内部に降り積もった名づけようもない渦があって、アルコールの勢いを借りて吹き出し、吹き荒れ、その極みで反転し、自己を攻めたててくる、ということだろう。

しかし、齢を重ねたせいもあろうか、老いの域に入るころから夜の嵐は次第に収まっていったが、一人舞踏と歌は衰えることはなかった。それどころかどこか哀愁と孤影を帯びはじめてきていた。突然立ち上がったかと思うとやや首を傾げ、疾風のように意味不明の組手に及ぶ。足を踏み鳴らし、拳にした両手でパシャパシャと激しく空を祓い、祓ったかと思えば、交差させる。と、ピタッと動きを止め、そのまま静止した姿勢を保つ、一点を凝視し怒ったような目に昏く走るものを浮かべて。しばらくしてまた身震いするように舞を舞う。動と静を何度か反復する、あのどこか哀しみとユーモアがない交ぜになった奇妙なダンスである。何かを表現しているつもりだろうが、本人しかわからないし、またその身体の審級を理解した者はおそらくいない。この地の舞踊にみられる、ガマクを据えこねり手や流れるような身のこなしとはほど遠い、何かに挑み攪拌するような攻撃的な一人舞踏。静止状態のとき、ふと漏らす薄笑いともはにかみともつかない一瞬に気づいた者は多くはない。

ははー、彼は独り荒野に行き暮れているのだなー、と妙に切なくさせられるときである。「母の懐」

に抱かれている感覚は乱れ、「異郷の地で行き斃れた母」への思いがほかならぬ母の故郷によって帰還を拒まれ、難破し、漂流する上間の姿があった。母の故郷にあって異邦（人）を生きる、ここに上間の〝わが沖縄〟があった。

守り子歌に聴く幻景の〈在所〉

ある光景が目に浮かんでくる。いつものように一人舞踏をひとしきり演じたあと、歌を歌う、いや叫ぶように歌う。「竹田の子守唄」である。「島原の子守歌」や「五木の子守唄」のときもあったがなぜかこの「竹田の子守歌」が忘れがたい。「守もいやがる　盆からさきにや／雪もちらつくし　子も泣くし〃盆が来たとて　何うれしかろ／帷はなし　帯はなし」と歌われるどこか悲愁を湛えた守り子歌は、荒ぶる舞いのあとには不似合いに思えたが、上間常道にかかれば傷ついた獣が虚空に向かって咆哮するような異様で痛ましい歌になってしまう。なぜ「竹田の子守唄」だったのかを聞く機会は失してしまったが、その秘密を解く逸話を知らされるのはインタビュー記事によってであった。

多和田真助の『沖縄の海図』（沖縄タイムス社、二〇〇三年）である。複数の人物を取材（一人物につき上・中・下の三回）し、沖縄タイムス紙上に連載した記事をまとめたもので、上間も取り上げられていた。それによれば、幼少期を過ごした大阪の西成区は、沖縄から出稼ぎで渡ってきた多くの沖縄びとが集落を形成し、その周辺はまた在日朝鮮人、被差別部落出身者たちが境界を接して混住していた。そうした複数のまなざしが枝を張り、交差する場での在日朝鮮人の少年との忘れがたい出会いと絆が紹介されていた。「竹田の子守唄」は、こうした重層する差別が犇めいていた大阪の沖縄人集落の遠い日の記憶から吹き寄せてくるのだ、という思いを抱かせる内容だった。西成という場所はそれぞれ異なる事情があったにしても、国や故郷を離れて流れ、吹き寄せられてきた流民たちの寄宿地でもあった。上間の父や母もそうだった。そこはまた〝わが沖縄〟の産褥でもあった。そう思わせるのは上間が語ったもう一つの逸話と繫がってもいた。

ずいぶん前のことだった。めずらしく感情を火照らすように映画『泥の河』を話題にして、あの映画は少年期の大阪そのものであった、と言ってきたことがある。一九五〇年代の大阪中之島を下った安治川の河口近くの橋の下で食堂を営む家の少年と、対岸に繫留された船宿の姉弟との交流を通して、繁栄から取り残された流民の哀しみをモノクロームの陰翳に描き込んで忘れがたい映画である。ある夜、父親から夜は行っていけないと禁じられた船宿で、姉弟の母親が身を売る行為を見てしまう。船宿は廓船でもあったのだ。見てはいけないことを見てしまったこと、そのことによって少年たちの短いが濃密な交流は終わりを告げる。上間が自らの少年期と重ねた『泥の河』の河口のデルタはまた、幻景の〈この在所〉でもあったということになる。

「竹田の子守唄」の「竹田」とは京都の伏見区の被差別部落地区で、貧困と差別のなか子守りになった少女の境遇と脱出の願望を歌ったものであるとされる。一九六〇年代後半から沸き起こったカウンターカルチャーの波にもなったプロテスト・ソングブームのなかで発見された「子守歌」ならぬ「守り子歌」、いわゆる労働歌であり、その元歌を編曲してフォークグループの「赤い鳥」が歌って大ヒットしたことで広く知られるようになった。ところが放送禁止の歌になり、いつしか歌われなくなったというわくをもっていた。四番の歌詞に出てくる「はよも行きたや　この在所こえて／向うに見えるは　親の家」の〈在所〉が同和地区だったことや元歌の歌い手から歌わないでくれと要望されたからだといわれているが、ほんとうのところはわからない。いずれにせよ、あの時代の転形期に発見され、歌われ、ヒットしたことから、上間はそのとき聴いて親しんでいたということになるのだろう。「この在所こえて」という一節に守り子たちの切なる思いが仮託されているにしても、人はみなそれぞれの〈在所〉をもっているはずである。

上間にとっての〈在所〉とは『泥の河』の幻景のデルタと重なる、多くの沖縄びとが集まった大阪西成区という寄せ場であった。その沖縄人集落という〈在所〉を越えて、大学進学のため東京に移り住む。それは西成に体現された〈沖縄〉からの脱出でもあった。だが、脱出したはずの〈沖縄〉が上間の自我に呼びかけ、逆に〈沖縄〉によって摑まれる。フロント派の理論と実践はその〈沖縄〉を洗い出し、解き放つ試みでもあったはずである。だが、そうはならなかった。もっと別の視点と方法と回路が必要とされた。〈在日〉体験を思想化し、流通する復帰ナショナリズムのドグマの超克に挑んだ沖縄青年同盟という名の若きオキナワたちの少数派政治結社の登場は磁力のように上間を引きつけた。この結社とは、見方を換えれば、東京のなかの飛び地としての〈島〉であり、そこはまた違った意味の寄せ場であり〈在所〉でもあった。上間にとって〝わが沖縄〟へ至るためには、くぐらなければならないアリーナでもあった。その沖青同体験を経て、「異郷の地で行き斃れた母」の懐に抱きかかえられるように沖縄に移り住む。三度目の〈在所越え〉だった。

夜をゆさぶるように歌った、いや、咆哮した、あの守り子歌を二度と聴くことはできないが、幻のなかでなら聴くことはできるだろう。怒りと哀しみを帯びた声とともに。特別な意味を帯びて上間の感情の根っこを波立たせたにちがいない「はよも行きたや　この在所こえて／向うに見えるは　親の家」。いくつもの〈在所〉を越えて「親の家」(故郷)に還った。だが、故郷にあって異邦人であることを痛感させられる。その意味で〈在沖〉を生きた。〈在日〉から〈在沖〉へ、〈在日〉と〈在沖〉、〈在〉はいくつもの〈在〉を繋ぎ、流れることへの仮の住まいの謂いであることを移り住む魂は知っている。どこかへ向かって咆哮するように歌う数の「子守唄」は、そんな叶えられることはなかった母の邦への幻の越境歌であり、またあの声音は、上間が殺ぎ落とした「大和的なるもの」に、逆に身ぐるみにされていく沖縄への抗いでもあったのかもしれない。

一九八三年以後、「我が沖縄10年」のような自己史を公にすることはなかったため、その後の上間の心の巡歴を詳らかにすることはできないにしても、晩年になって悲愁と孤影を深くする守り子歌は、「我が沖縄10年」へのレクイエムだったのかもしれない、と思ったりする。大阪の西成から〈在日〉の沖縄少数派政治結社を経由して沖縄へと移り住む魂の〈この在所越え〉、そのけっして尋常ではなかった営みを、私はただ〝存在了解〟として了解する。

〈影の労働〉と未完に終わった構想

この極私的上間常道考を閉じるにあたって、未完に終わってしまったと思われる仕事について記さなければならないだろう。出版社Ｍｕｇｅｎをはじめてしばらくした頃の事務所での雑談のときだった。調べはじめていることがある、とさりげなく切り出してきた。沖縄の戦前からの編集者について書いてみたいと思っていること、そしてその一人に「比嘉寿助」の名を挙げ、何か知っていることはないかと訊ねてきた。驚いた。その人は、直接会ったことはなかったが私のなかで忘れられない名として記憶されていた。それというのも、その人は南大東島出身で一九六六年に刊行された『南大東村誌』（南大東村役場）の編著者だったからである。次兄が持っていた村誌を、大学時代に島に帰省したとき本棚から勝手に抜き出し、いまだに私の手元にあることを伝えると、そうか、そうだったんだ、とばかりに、さっそく当たってみるということだった。そんな事情もあって気になっていたが、その後どうなったかをたしかめる機会を逸してしまった。

余談になるが、南北大東島の開拓を主導した八丈島の冒険王といわれた玉置半右衛門から島の管理権を開拓民の了承を得ずに引き継ぎ、島をまるごと掌中に収め、台湾に拠点を置いていた植民地製糖資本の東洋製糖やそれを吸収合併した大日本製糖について調べているとき、戦前に東洋製糖社が島を全的に統べる視線を獲得するために、社員を手分けして執筆させた『大東島誌』（江崎龍雄編、一九二九年）と『日糖最近二十五年史』（西原雄次郎編、大日本製糖株式会社、一九三四年）を上間が所蔵していて、コピーさせてもらったことがあった。そんな見向きもされない孤島の、しかも戦前に発刊された稀少本まで視野に収めていたことに畏怖の念を抱かされた。

上間が構想した本を、仮に《沖縄編集者列伝》だとしておくと、己の立つところを掘る営為の結晶として多くの出版物が生まれたこの地で、著者たちのような表の光に当たることは少なく、それを影で支えてきた匠の技と思想を一度は掘り起こして残しておくべきであるということを密かに抱いていた、ということになる。長く編集者として本づくりに携わり、人知れず消えていったシャドウワークを知り尽くしているがゆえに、その思いを深くしていったのだろう。沖縄の歴史の辺縁としての大東島、その島から出たひとりの異端の編集者について交わしたひとときは、影のアルチザン・上間常道の最後の構想に触れた一瞬だった、といま振り返ってみて思う。《沖縄編集者列伝》はついに日の目を見ることはなかったが、いつか誰かにリレーされていくだろうか。

大阪、東京、そして沖縄へ流れ来た上間常道の〈この在所越え〉はまた〝わが解体〟への旅程でもあった。〈敵意を見せる眼差し〉と〈やわらかい眼差し〉がスパークし合う一点で身悶えする異物であり続けることによって、母の邦の幻の橋のない河を渡ることができただろうか。「影の労働」のなんたるかを身をもって示してくれた生涯だった、と心底思う。

往還する魂のジオラマ

持病の糖尿病が悪化し、石垣市の病院に臥せっていた金城朝夫（友寄英正の筆名）を見舞った八重山高校の同期生でジャーナリストの三木健は、ベッドに横たわってラジオを聴いていた金城の姿に、まさに「刀折れ矢尽きた」感じだったと述べていた。すでに金城は失明していた。亡くなる一年前の二〇〇六年秋だった。三木がそう感じたのは、政治・社会運動のオルガナイザーであり、報道カメラマンであり、また「足で書く」ルポライターとして、止まることなく走り続けた旺盛な活動を知りぬいていたからであろう。

だが、ほぼ同じ時期、金城を知る八重山の後輩から、窓辺の椅子に座り、見舞いの者を拒むように入口に背中を向け、見えない目で窓外を凝視しているだけの、意志的な内閉を感じさせる姿勢について聞かされたとき、なぜか鈍い痛みが突き上げてくるのを覚えた。一度は見舞いに行かなければと思いながらも、果たすことができなかったことへの後悔の念からくるものであったことはたしかだが、それよりも自分を閉ざし〈内部の人〉となった姿が、言葉を速射しては夢を煽った〝動〟のイメージからあまりにもかけ離れていたからである。

失明した闇に視たのは、八重山開拓移民の末裔として、かつてヤキー（マラリヤ）の島と呼ばれて恐れられ、干ばつや台風によって痛めつけられ、戦後の米民政府や琉球政府の移民政策の貧しさから辛酸をなめ尽くしながらも築き上げた光と風の共和体が、日本復帰後の乱開発や「本土」の観光資本によって喰い潰されていく地霊の狂い啼く残影だったのかもしれない。見舞いを寄せつけない意志的な背中からは、哀惜と遺恨を闇のなかに解き放つ、そんな想像を拒むことができない。

死の三年前に刊行された『沖縄ダークサイド』（宝島社、二〇〇六年）に寄せた〈沖縄移住ブームにモノ申す！〉「はっきり言おう、『迷惑だから、勝手な幻想持ってくるな！』」は、金城朝夫の鬱に傾いていく場からの異議申し立てであるとみなすことができる。ため込まれた憤怒が限界を破って流れ出そうとする手前の震えさえ感じ取れる。石垣島、西表島、竹富島、与那国島などの八重山地域の自然に誘われ、癒しやスローライフを求めて押し寄せてくる「ナイチャー」と呼ばれる移住者たち、その「ナイチャー」と地元島民との間のさまざまなトラブルを挙げながら、島民のなかに根を張っていく「ナイチャーヤナランサー」（内地の人とはやっていけない）という、後向きともとれる感情が生まれるはじまりを、沖縄の日本復帰から辿り直していた。

ここであえて金城が「ナイチャー」というルサンチマンが混入した言葉を使うのにはもちろん意図があった。地霊を呼び覚ますことだった。「本土／内地」からやってくる「ナイチャー」のなかには風光明媚な土地を狙った「不逞の輩」が潜んでいて、とくに戦後米軍の土地接収によって沖縄本島から八重山に渡ってきた開拓集落は買い占めの標的になり、廃農や廃村を余儀なくされた。『『日本復帰』とは、ナイチャーとその傀儡を儲けさせただけでしかなかった」と直言し、八重山の開発や八重山への移住は誰のための、何のために、と問う。

この「誰のための、何のために」という問いから、地域をみる眼や現状を変えていこうとする意志が動き出していく。金城自身もかかわったUターン青年たちが主な担い手となって取り組んでいった、買い占められた土地を取り戻す運動とそのことを通した〈シマおこし〉である。この動きの背景には、かつて進学や集団就職で「本土」へ渡ったときに抱いた過度な幻想が、実際の「本土」体験によって崩壊したことによってふるさとをみる眼が変わったことが読み取れる。この変化はまた金城自身のものでもあった。Uターンとは物理的現象である以上に、意識の変革でもあったということでもある。

だが、そうした帰郷と地域主義的な取り組みにもかかわらず、「日本復帰」後の大きな流れはとどまるところがなかった。島々は観光化のまなざしにさらされ、うたとともにあったヴァナキュラーな佇まいは奥行きをなくし、魂の井戸は枯れはじめ、島の時間は平準化されていく。金城が見えない目で見続けようとしたのは、そうした変貌する島々のダークサイドではなかったか。「沖縄に住むな、来るなとは言わない。それでも、自然だけを求めて、地元に溶け込む気持ちがないのなら、どうかその移住計画は思いとどまっていただきたい」と諫めたのは、〈移住者植民地主義〉の様相を呈するポストコロニアルな移行への忌避にちがいない。そうさせるのは、文字通り足で書いた『ドキュメント八重山開拓移民』（あ〜まん企画、一九八八年）のなかで丹念に拾い上げた、開拓移民たちの血と涙の痕跡が消されていくことへの強い危機感があったことは否定できないだろう。

金城の思考の足跡を遡っていくと、「日本復帰」運動の内部に埋め込まれた構造への注視者に出会うだろう。たとえばそれは「喰いつぶされる島」（『新沖縄文学』二九号、一九七五年）の冒頭に置いた「沖縄の総てを日本にあずけてしまおうとあらゆるエネルギーをもやしていった沖縄の抵抗の歴史は、米軍に対しては抵抗になっても、こと日本『本土』に対してはたくみに利用されてしまった」という文言に端的に示されているはずだ。米軍への抵抗が〈日本〉を無防備に呼び込むゆがんだ力学、日本にあずけられたエネルギーは「復帰」後は逆用され、沖縄を敷き均す。刀折れ矢尽きた注視者は、死を前にして自己にこもり、八重山開拓移民のドキュメントに還っていった、というべきなのかもしれない。

東京行動、〈反復帰〉世代との出会い

一九三八年に石垣市の開拓移住地の開南に生まれ、二〇〇七年五月一日に亡くなるまでの六九年の金城朝夫の生涯のなかで、政治、社会活動は主な比重を占めていた。その歩みは大きく三つの時期に分けることができるだろう。第一に、八重山高校から東洋大学に進学し、沖縄出身の男子学生寮である南灯寮に寄宿しながら東京沖縄県学生会事務局長を務め、六〇年安保闘争にも参加し、六二年の卒業後、社会党代議士の帆足計の私設秘書として復帰運動にかかわった、いわば六〇年安保闘争と復帰運動が高揚していく時代を経験したこと、第二に、石垣島に帰ってのちの六九年に、沖縄県祖国復帰協議会（以下「復帰協」）の東京行動団の八重山代表として上京したが、そのまま東京に残り、沖縄青年委員会〈海邦〉と出会い、沖縄青年同盟の結成にもかかわっていく。そのことはまた、七〇年安保・沖縄・ヴェトナム反戦をめぐって既成の組織や運動を乗り越えていこうとするニューレフトとの接触

と共闘の経験にもなった。

そして第三に、復帰直後に石垣島に帰郷。八重山地区農民組合事務局長を五期務め、島を荒らす本土企業に対し地域主義的な自立と「シマおこし」運動にかかわる。他方、琉球放送八重山通信員、石垣ケーブルテレビの記者として、地域に密着した話題を精力的に報道していくと同時に、そうした複数の実践を通して多くのルポルタージュを雑誌に発表していった。カメラによって時代を見据え、ペンによって時代に抗った。

金城朝夫とは、政治・社会運動家であり、ジャーナリストであり、ルポライターでもあるということになるが、ここでは一九六九年四月に復帰協の東京行動団として上京したこと、その後の四年間、東京に残り活動した足跡を辿ってみることで、金城のなかで何が、どのように変わっていったかを辿り直してみることにする。その一年前の一九六八年四月二八日、金城は八重山毎日新聞に、「衆議院議員帆足計元秘書」の肩書で「復帰運動の再検討」というサブ見出しがついた「四・二八から学ぶもの」というエッセイを寄せている。さまざまな問題を抱えながらも復帰運動は発展してきたが、いま大切なことは「復帰運動の理論的なほりさげ」であるとして、復帰運動が陥った負の側面と日本国民の主体性の欠如などを指摘、「単なる復帰」には反対であると記していた。そのうえで、〈真の復帰〉は「人間復帰への道」であり、「復帰運動は国内的には日本の完全独立と主体性の確立、そして対外的には植民地解放と反戦平和の運動」であるという認識を示す。「大きな国民運動へと広げる中での復帰こそが真の復帰」だともつけ加えていた。この〈真の復帰〉論はしかし、国家を問うことなく、日本と沖縄を〈国民〉によって接着し、全体化していくことを明確に自覚化しているわけではなかった。

「復帰運動の再検討」を書いた翌六九年の日米共同声明によって、それまでのアメリカによる沖縄の単独支配から日米共同管理体制へと転換した沖縄政策は、復帰運動のナショナルな欲望を取り込んでいくことをも意味した。復帰する〈日本〉の原理主義的な純粋化でしかない〈真の復帰〉論は抵抗の論理ではなく、併合を補完していく密通の論理と化していくことを構造としてもっていたがゆえにそうなったということである。

一九六九年の四月、復帰協は三三一人の東京行動団を派遣する。これは「沖縄百万県民の基本的要求であり、国民的課題でもある即時・無条件・全面返還をかちとる」ためのもので、四・二八東京行動団は「復帰オルグ派遣計画」のなかでももっとも規模の大きい取り組みとなった。『沖縄県祖国復帰闘争史』（沖縄県祖国復帰闘争史編纂委員会編、沖縄時事出版、一九八二年）の〈資料編〉には、東京行動団三三一人の名簿と二四日から二八日までの行動日程表が収められている。その名簿には出身組織の八重山地区労と友寄英正（金城朝夫）の名も記載されていた。また収録された「宮古・八重山における復帰闘争」の〈八重山編〉には、八重山からの代表団として友寄英正を含む一三人の名があった。友寄の出身組織は官公労八重山支部となっている。「追悼特集・金城朝夫（友寄英正）と八重山」を組んだ月刊『やいま』一七四号（二〇〇七年一一月号）には、「沖縄を返せ」の鉢巻きと「祖国復帰要求沖縄県民代表団」のタスキ姿で、国会議事堂前のテントの中で座り込む金城の写真があった。

とはいえ、東京行動は六〇年安保闘争のときのように、沖縄への視点を欠落させたままの日本へは帰るべきではない、とちょうど一年前の八重山毎日新聞のコラムに書いた金城のなかで生じつつあった変化を前景化していくきっかけになったこともたしかである。東京行動を通して何を見、何を感じ取ったのだろうか。「べ平連ニュース」No.七二（一九七一年一〇月一日）には、金城が沖縄青年委員会〈海邦〉として発言した要約が掲載されているが、東京行動の体験が語られているのが興味を引く。「その時沖縄問題というのは、我々の手から別のところに移ってしまって、私たちと関係ないようなところにあるように思ったのです」。この疎隔感は、おそらく、社共を軸にした「本土」における沖縄返還運動が沖縄の声を領土ナショナリズムに止めおこうとしていることに起因するように思える。このことに関連して、左翼に沖縄返還を任せ、右翼に北方領土返還を分担させている、と皮肉を込めて言っていたことを思い出してみてもよい。だが、それは、いま、ここで、こうして〈真の復帰〉を訴えている復帰協東京行動団員としての金城の〈われわれ〉とけっして無縁ではなかった。領土主権論が避けられず呼び込む沖縄と「本土」とのナショナルな幻想婚。だから、内部の矛盾を徹底してさらけ出すことによってしか今後の展望を見出すことはできない、と結んでいた。東京行動は六〇年安保闘争のころ沖縄県学生会の事務局長として復帰運動にかかわったときから、六九年に復帰協の代表団として上京するまでの、いわば金城朝夫の一〇年が試される経験でもあった。

沖縄問題が我々の手から別のところに移ってしまったこと、私たちと関係ないようなところにあること——逆説的な言い方だが、この沖縄が置き去りにされていく疎隔感こそ金城をして東京に止まることを選択させたものである。そしてこの疎隔感は、沖縄から進学や就職で「本土」に渡ってきた一〇代後半から二〇代初めの〈在日〉を生きる沖縄の〈反復帰〉世代の結社と、六〇年安保世代としての復帰運動の再検討を考えていた金城朝夫の出会いを可能にしたものである。疎外された〈沖縄〉と

〈沖縄問題〉を近くに引き寄せ、わが手に取り戻すこと、ここに東京での四年間はあった。

認識論的切断、あるいは呪縛を解くこと

『沖縄処分――日本の呪縛から解放せよ』（三一書房、一九七三年）は、五部構成から成っているが、《Ⅳ　米軍支配と沖縄の思想》以外は、ほぼ沖青委〈海邦〉―沖青同とのかかわりのなかから生み出されたものである。たとえば《Ⅰ　抹殺された歴史と文化》の「1　方言撲滅と沖縄語裁判」は、〈裁かれる日本〉を総特集した『別冊経済評論』増刊号（日本評論社、一九七二年六月）に「沖縄青年同盟活動家」の肩書で「沖縄語裁判の正統性」として発表した文を加筆修正したものである。ちなみに、この特集は沖青同の「国会爆竹事件」を含む「三島由紀夫事件」「狭山事件」「永山則夫事件」「金嬉老事件」「外務省秘密漏洩事件」などが収録されていた。《Ⅱ　同化の限界性と危険性》のなかの「2　沖縄人にとっての沖縄問題」は、共産主義者同盟叛旗派が復帰直前の五月一三日に行なった「沖縄討論集会」で沖青同の同盟員として発言したものを整理し直したもので、発言者と演題は金城のほか、神津陽の「沖縄闘争と綱領問題」、吉本隆明の「家族・親族・共同体・国家――日本～南島～アジア視点からの考察」、上原生男の四名で、のちに特集号として冊子（一九七二年七月一五日）になった。

また、《Ⅲ　在「本土」の沖縄人》に収められている「1　北恩加の少女」「2　沖縄集団就職のその後」「3　在『本土』沖縄青年闘争」「4　沖縄の女は哀しいんだよ」などは、沖青同の沖縄語裁判

闘争などを追ったドキュメンタリー映画『反国家宣言』（プロダクション犀）との制作協力や沖青委〈海邦〉のときから意識的に取り組んだ集団就職の調査やオルグ活動を、金城独自の視点からルポルタージュにしたものである。そして《V　思想の辺境化と日本の呪縛からの解放》のなかの「1　中国への旅」は復帰直前、沖青同のメンバーが中心になった中国への旅のレポートになっている。これらは一冊にまとめるにあたっては、なぜか沖青同の名は省略されていたが。

沖青委〈海邦〉との出会い、沖青同で活動した在「本土」での四年間は金城朝夫にとって、七二年へと収斂していく沖縄の国家併合とそれを沖縄自ら代行していった従属的ナショナリズムの批判的超克の時期でもあったことが読み取れる。そのことはまた六〇年安保―復帰運動世代としての自己の転進を印すことにもなった。

「沖縄人にとっての沖縄問題」は、政治集会での発言ということもあったせいか、論旨は充分練られているわけではないにしても、自己の体験をさらけだしていくスタイルをとっているのが注意を引く。「私の過去を語ることは私の犯罪の歴史」を語ることであるという強い言葉が印象に残るが、まっ先に挙げたのは教育の問題だった。金城が八重山で受けてきた教育は「日本民族、あるいは大和民族、そして日本人としての徹底的な教育」であったこと、そのため日本人という誇りや日の丸に対するあこがれをいだき、大学進学はまさにあこがれの祖国へ行くことだったこと、「恥ずかしい話」だとして、日の丸を見たとき感激して涙を流したことなどを告白していた。「沖縄人の中には徹底的な日本人意識」があり、その「意識が復帰運動の中に流れていた」こと、それがなかったとしたらグアム島やミクロネシアの形態と同じだったかもしれないと説く。グアムやミクロネシアの例を挙げたのは、

「日本復帰」とは別の可能性を示唆したからであろう。「日本の中で最も日本人を意識していたのは沖縄人」であるという提題は、金城自身の経験の深みから導き出されたものである。それほどまでに皇民化─日本国民（日本人）教育が復帰運動のなかで再生産されたということであるが、学校というイデオロギー装置は、日本「本土」との距離から生まれるコンプレックスを動員しながら祖国幻想を大量に産出し続けた。

だからこそ実存を打つように「沖縄人にこだわり」、「沖縄人として開き直ることだ」とストレートすぎる物言いで認識論的切断に及ぶのだろう。このことは、たとえば、朝鮮学校の女学生が日本社会のなかで日々暴力的なまなざしにさらされながらも、ひるむことなく民族衣装を着けている姿に「涙が出る思い」をしたことや、いくつものまなざしがせめぎ合う〈在日〉の日常を生きることは、ヘルメットにゲバ棒で機動隊と立ち向かうことより「革命的」であるとまでいう。「私の犯罪の歴史」からの反照がいかに金城を苛んだかがわかるというものだ。〈犯罪〉とは沖縄を骨がらみにした同化イデオロギーとの密通とかかわっている。自己を審問し刷新していく、そこに〈真の復帰〉論の呪縛は内側から解き放たれていくのだろう。

在「本土」の沖縄、逆光のなかの影絵

沖青委〈海邦〉─沖青同などの政治的活動と併走しながら、金城朝夫は『朝日ジャーナル』や『現

代の眼』や『流動』などの雑誌にルポルタージュを発表していく、もうひとつの顔をもっていた。本人もそのへんはわきまえていて、自分は理論家でもなく評論家でもない、とあえて断りを入れていたことからもわかる。ルポルタージュは二つの問題意識で貫かれていた。ひとつは、在「本土」の沖縄出身者が受けたまなざしの構造のゆがみへの関心であり、いまひとつは、アメリカ統治下の沖縄から集団就職で本土に渡った〝若き沖縄〟たちの挫折や不遇感に分け入ったことである。

在「本土」の沖縄人がどのようなまなざしにさらされ、差別と抑圧の構造に組み込まれていったのかは、『沖縄処分』に収められている「北恩加《きたおか》の少女」や「ルポ　見捨てられた沖縄――北恩加」（『流動』〈特集・本土と沖縄の距離〉、一九七二年五月号）で知ることができる。これらは大阪港に流れ込む尻無川に接した北恩加島町と小林町の一角を占め、正式な地名ではないクブングァー（窪地）と呼ばれた「北恩加」に住む沖縄から出稼ぎにきたひとたちの体験を探訪したものである。大阪の、大正区の、そのまた北恩加は、戦前から沖縄人が吹き寄せられるようにできたエリアであった。

金城が横浜の鶴見区とともにこの一帯に敏感に反応し、関心を寄せたたのは、戦前と戦後を超えて継続しかつ凝縮された矛盾と〈重層的な沖縄〉があるということもあったが、〈復帰後の沖縄〉を予見することができるという理由からでもあった。まぎれもない、そこには「小さな沖縄」があったと「北恩加の少女」で述べ、「ルポ　見捨てられた沖縄――北恩加」では〈大阪の沖縄〉には、被差別と〝脱〟被差別の異なる二つの顔があって、その二つの顔の縮図が「北恩加」であると位置づけていた。共通して取り上げられているのは、戦前に「北恩加」に住み着いたYさん（「見捨てられた沖縄」ではHさんになっている）の例であり、もうひとつは一九七二年に、全国解放教育研究会編の副読本として発刊された『にんげん』が、未解放部落だけではなく、原爆や在日朝鮮人などとともに沖縄が取り上げられ、その扱いをめぐって関西はもとより地元沖縄でも大きな波紋を巻き起こした文化・思想的事件である。

Ｙさんの例はこうである。すなわち、貸家の壁に「内地人に限る」という札があって、内地人以外といえば朝鮮の人だと思い、借家を申し出ると、「お前どこの出身か」と聞かれたので「沖縄や」と返した。すると「あんた表の札の字が読めんのか」とむげにされたという体験談である。Ｙさんは、自分は「内地人」だと思っていたが、しかし日本人から見れば沖縄も朝鮮も同じであり、沖縄は「内地」には入らないということになる。沖縄人が「内地人」だということはあくまでも主観的な問題だった。

この逸話はこう読めるはずである。すなわち、アジアの植民地帝国としての日本は帝国の地図を内地（人）と外地（人）に分割し色分けしていくが、植民地住民が本国に移動してくるとき、それは形を変えて再現される。内地と外地の境界は日常のなかに編入され、まなざしの暴力となってくすぶる。皇民化―同化教育によって日本（人）へ包摂させられていく植民地の民は、本国に流れ込むと今度は排除していく力にさらされる。Ｙさんの例は、沖縄（人）が内と外の〈あいだ〉を生きていることの構造からくるものである。大阪の大正区の「北恩加」を生んだのは、分割し、排除するまなざしを抜きには考えられない。

「北恩加」は地図になかった、という。〝クブングァー〟と沖縄のコトバで呼ばれ、出稼ぎで関西方面に渡ってきた沖縄出身者がどこからともなく吹き溜まってできた窪地の名。その名は象徴的ですらある。なぜかといえば、この窪地は包摂と排除の二重構造からすれば隠されなければならなかった。

いや、そういうことではない。かつてアジアで唯一の植民地帝国であり、敗戦後もその遺制は清算されず隠然と残っている国民―国家の制度空間においては、隠されること、〝ない〟という打ち消しがかえって〝ある〟を露出させる場所を第三空間的に飛び地のように作った。だからここでは〝ない〟は潜勢力となる。隠され、うち消されることによって〝ある〟を生きる流民たちが住む窪地、ここはまたYさんの経験がカタチを変えて反復される場でもあった。この地図にない沖縄人集落は開発のためやがて人知れず消えていく。だが、新たな「北恩加」が生まれてくるだろう、と金城は追言していた。

副読本『にんげん』の場合は、周縁化され、従属化されたひとびとの間の差別／抑圧の転移と二重性の問題だといえるだろう。日本の差別問題として部落と沖縄が同じように扱われたことに対し、大阪沖縄県人会・会長は「部落問題と沖縄問題をいっしょにされては困る」として反対を唱え、沖縄出身国会議員でつくる沖縄議員クラブ、そして屋良朝苗琉球政府主席ら左右を問わず復帰運動を主導してきた面々もそれに賛同する。対して若手の沖縄出身者でつくる少数ではあるが復帰運動に批判的なサークルをはじめ、兵庫沖縄県人会や沖縄教職員会などは『にんげん』を支持する立場をとった。結局、全国解放教育研究会は大田昌秀著の『みにくい日本人』からの引用を本人の希望に従い取り下げ、別の形で出すことになった、という経緯を辿っていた。大阪の沖縄には二つの顔があった。『にんげん』をめぐる沖縄人同士の対立はそのことをさらけだした。

二つの沖縄が変奏され、絡み合い縮図となったクブングァーという名の「北恩加」のなかでひときわ印象に残るのは、「ヨッコ」と呼ばれた小学三年生で、沖縄三世の女の子の存在である。「うち沖縄解放してやるでー」と不意を衝く少女の言葉から書き出した「北恩加の少女」は、都市の辺縁に追いやられた沖縄出身者の現状や開発から取り残されたくすんだゾーンにあって、一陣のつむじ風のように風景をざわつかせる。その「ヨッコ」はドキュメンタリー映画『反国家宣言』のなかでも、取り壊された木材が散乱する荒涼とした廃墟のような場所で、金城や映画スタッフに人懐っこくじゃれつき独特な鼓動を伝えてもいた。「北恩加の少女」の最後を「うち沖縄人やろう、だから沖縄人を信じたらええと思うんや、おとうさんはなー、沖縄人は心がやさしいと言うとった」と結ぶとき、劈頭に置いた「うち沖縄解放してやるでー」という言葉が逆光のなかの影絵のように浮かび上がってくるようで忘れ難い余韻を残していた。

さまよえる〈出沖縄〉、還りゆく魂

金城朝夫のルポルタージュのいまひとつのアクセントになっているのは、集団就職の若者たちがおかれた境遇への着目である。沖縄は戦前から移民や出稼ぎを輩出した地域として知られ、多くの人たちが「本土」や海外へ渡った。戦後は極東の軍事的要石構築のためアメリカ軍の強制的な土地接収によって、土地を奪われた人たちはボリビアをはじめ南米への海外移民と石垣島や西表島などの開拓のための沖縄内移住民となって流れた。「本土」への出稼ぎは一九六〇年あたりから統計に拾われているが、主に中学や高校を卒業した少年少女たちが対象になった「集団就職」は、一九六四年頃から増えはじめ一九六八年には急激に上昇に転じていった。

こうした〈出沖縄〉の背後には複数の事情があったにしても、その第一の理由はアメリカの占領統治に起因するものであり、その矛盾をカバーするように、高度経済成長を遂げ、膨化していく労働市場の要求があった。そうした若年労働者の送り出しに教師たちも積極的に加担していく。沖縄から労働力を吸収していく企業側の理屈を、金城はある経済新聞の広告ページに掲載された座談会を紹介して明らかにしていたが、そうしたのは送り出した教師たちの責任をあえて問いたかったからであろう。すなわち、「沖縄は安い労働力があり、東南アジアより有利な条件として、日本語が通用し、日本人としての義務教育がいきとどいている」という発言からみえてくるのは「日本復帰」運動の中心的役割を担った沖縄の教師たちによって学校空間で実践された「標準語（日本語）」教育と「国民（日本人）」教育が国家の統合の論理にとどまらず、資本の論理に横領されている光景である。

「本土」各地に送り出された〈出沖縄〉たちは、沖縄で聞かされていたこととは違いすぎる現実を目の当たりにし、疎外感に苛まれる。そして疎外が我慢の限界を越えて行為に転じるとき、あまりにも沖縄的なという以外ない〈事件〉となって新聞の社会面に現われては好奇の眼にさらされる。たとえば、けがをすれば家族が迎えに来るだろうと思い詰めた挙句「車に飛びこんだ沖縄の少年」、ボートを盗んで故郷に帰ろうとした「奄美大島の少年」、沖縄の戦後の暗い思い出と出稼ぎ先での孤独な生活からくる人間不信から、横浜市港北区内の洞穴に五カ月間も引きこもった集団就職の少年など。こうして報じられた〈事件〉の背後には、少年、少女たちがかかえた不条理な実態があったことを、金城は自ら聴き取りした多くの例を紹介して裏づけていた。親たちが、教師たちが、沖縄が、そしてより問題意識を絞っていえば、「日本復帰」運動の従属ナショナリズムが送り出した〈祖国〉はまさに幻想のなかにしか存在しないことを身体にかけて訴えている。

このように集団就職で「本土」へ渡った若きオキナワたちの疎外と絡み合うような、日本復帰とともに自衛隊へ入隊した同世代がかかえた独自な問題に眼を据える。沖青同の国会内決起の直後、『日本体験』した沖縄人として」(『朝日ジャーナル』〈なしくずし一体化に抗して〉その1、一九七一年一二月一七日号)を書いていたが、そのなかで対照的な二つの事例を取り上げて注意を促していた。ひとつは同年八月一六日早朝、沖縄出身の自衛官が華厳の滝で投身自殺したこと。現場には家族の写真とグラフ雑誌に掲載された天皇の写真、自衛隊の身分証明書が置かれていた。いまひとつは、初めて沖縄から四人の若者が防衛大学に入学したことと雑誌の座談会での発言内容についてである。

自殺した自衛隊員は高校三年生のとき、糸満町(当時)で主婦が米兵によって轢殺され、軍法会議で無罪となったことに怒り、ひとりで抗議行動を起こし、一五〇〇人を集めた高校生の抗議集会にまで発展していく。コザ暴動のときも支援活動に取り組む、正義感が強く行動力もある高校生だった。しかし目を向けるべきなのはここからである。米軍の横暴への激しい怒りと憎しみが自衛隊へ入隊する理由となったことであり、それゆえに入隊後はかつての仲間たちから非難され、苦しみ、行き場を失い自殺へと追い込まれていった。沖縄初の防衛大学入学生の座談会でも同様な構図を読み取ることができる。つまり、米軍に対する激しい怒りが「日本復帰」運動を評価しただけではなく、屋良朝苗主席をたたえ、自衛隊の力で米軍を沖縄から追い出し、米軍に代わって沖縄を守るのだと語った入隊動機の内に復帰運動を支えたロジックがクリシェとなって喰い込んでいることである。

この二つの事例からいえるのは、〈日本〉を欲望する復帰幻想が戦後世代によって内面化され、それが倒立していく姿である。アメリカ占領下の不条理への対抗意識が自衛隊によって代替させていく目も眩む逆説、というよりも陥穽。沖縄の戦後世代のねじれの精神を育てたのは、まぎれもない「日本復帰」運動の従属的ナショナリズムであった。自殺した青年は、そうしたアポリアをわが身とわが心において背負ったのだ。

沖縄戦後世代の自衛隊員の生死を分けた言動は、『沖縄処分』のエピローグに配されたエッセイ「日本の呪縛から解放せよ」のなかでも取り上げられていて、金城のひとかたならぬ関心の強さを知らされる。このエッセイの冒頭は、南米の移民たちを引き裂いた敗戦をめぐる対立で、日本は神国で勝利を信じた、いわゆる〝勝組〟に沖縄出身者が多かったことを同化政策の最も成功した例として導入にしていた。

一九六九年四月から七二年までの在〈本土〉の四年間は、自らも渦中にいた復帰運動の心情と論理との内的格闘を経て、日本の呪縛から解放される途を模索した歳月でもあった。〈在〉を生きたことによって変わった問題意識は、ふるさと石垣島への帰還後は国家と資本の囲い込みに対抗する地域主義となって転轍されていく。だが、「復帰」という名の〈沖縄処分〉は、八重山の島々を settler colony（移住者植民地）ともいえる風景に塗り変えていった。

ひるがえってみて思うに、金城朝夫の晩年の失明は、開発と観光のまなざしに犯され、消費されていく島々を見ることとの拒絶ではなかったか。森口豁も『やいま』の追悼特集号のなかで触れていたように、見たくなかったのだ……。そうだとして、では、見えない目の内側で揺れ上っているもの、あれは首都の夜を騒がせた叛乱の季節の残影なのか、それともヤキーの島の遠い哀しみの谺なのだろうか。もしかしたら「腐れナイチャー」とか「破りナイチャー」に込めた恨のうねりと憤怒の果てに、独り狂い〈石〉と化してしまったということなのかもしれない。そしてもしも、その死からもうひとつの「石のうた」の悲歌が生まれるならば、光る闇にくべてやろう。

「遺書」と「困民」とマンガタミー

一九七〇年を挟み、その前後の転換期の沖縄における政治・思想領域にポレミカルに介入し、激烈な論陣を張った一人に仲宗根勇がいる。つねに政治的実践の現場と併走し、その後も止まることのない言語闘争は『沖縄少数派――その思想的遺言』（三一書房、一九八一年）をはじめ、一九九二年に裁判官職に就いたため自制していた状況への発言が二〇一〇年の退職後、堰を切ったように流れ出し、結晶化した『沖縄差別を問う――悠久の自立を求めて』（未來社、二〇一四年）や『聞け！オキナワの声』（同、二〇一五年）などの著作によって知ることができる。それらを可能にした原点には楕円の二つの中心のような位置を占め、相互に参照し、交差し、交響し合いながら文の闘争を特徴づけてもいた二つの経験がある。

仲宗根が沖縄の言論の表舞台に登場したのは『新沖縄文学』がはじめて募った「私の内なる祖国」をテーマにした懸賞論文で入選作となった「わが〝日本経験〟――沖縄と私」（原題は「沖縄のナゾ」『新沖縄文学』一四号、一九六九年）によってであったが、アメリカ占領下の沖縄から留学した東京で負った心的裂傷を振り返っていたところで、ミッションス・イデーとルビをふって「使命感」という言葉を使っていた個所を最初に目にしたときの、謎のような印象を今でも覚えている。それを〝ウチナーマンガタミー〟という沖縄語にして「沖縄解放の使命感」と言い足したのは、沖縄の五〇年代に米軍の武力による土地接収への抵抗運動を影で支えた国場幸太郎の幻の名著『沖縄の歩み』（岩波現代文庫、二〇一九年）の復刊を記念したシンポジウムでの仲宗根の報告だった。

〝ウチナーマンガタミー〟とは、沖縄を丸ごと抱え込むとか、過剰に背負い込むという意味だが、〈出沖縄〉のアドレセンスが異郷で思いもよらない好奇のまなざしやいびつな沖縄観によって受けたトラウマをきっかけにして、沖縄につかまれてしまう心的現象であるが、仲宗根のそれは戦後日本の最大の大衆反乱と言われた六〇年安保闘争の渦中だったことから、沖縄と日本「本土」の非対称的な関係を熟考することを迫られた。

そんなウチナーマンガタミーをめぐる経験のはじまりの現象を、『沖縄差別と闘う』のなかで〈反復帰論〉に至る自己史を辿った文の途中に入れ込んだ、東大在学中の一九六三年に『琉球育英会報』や『東大新聞』に書いた「沖縄体制論」という名の三つのエッセイ（「1沖縄体制論＝序論」、「2沖縄体制論＝復帰論のイデオロギー的混迷」、「3沖縄体制論＝幻想の中の沖縄――『沖縄』（岩波新書）発行によせて）で遡ることができる。一九六九年の「わが〝日本経験〟」が時間をおいて対象化されているのに比べ、荒削りな感じは否めないにしても、それがかえって新鮮な印象を与えてもくれる。

仲宗根はこの初期エッセイを振り返って、「当時一般的にはあまり疑われていなかった民族主義的な復帰思想と行動に苛立ちをぶつけた、『青い時代』の自己分裂気味の自分がそこにいて」と、いささか控えめな言い方をしているが、七〇年前後の沖縄のデッドロックを批判的に開鑿し、自身もその論陣のセンター的位置を占めることになった〈反復帰思想〉の胚胎を見ていた。そこにいる自分は「分裂気味」だとしても、その〈自己分裂〉はウチナーマンガタミーとしてのミッションス・イデーの内在でもあった。

なかでも特に注目したいのは、沖縄の言語や歴史、民族や民俗は「感性的民族主義的復帰論者」が主張するように日本との共通性があるにしても、ローカル性には押し込められない「特殊＝沖縄的」なものが潜在すること、つまり「歴史形成の特殊性」という認識を導き出したことである。三つのエッセイに繰り返し登場するこの「歴史形成の特殊性」こそ、のちの〈反復帰論〉や「琉球共和国憲法私（試）案」にまで流れ込み、琉球弧の思念を立たしめる方法的視座になったとみなしてもよい。歴史を構成的概念として捉えること、〝特殊性〟とはその力能のことであり、ウチナーマンガタミーが転生する場でもあるということなのだ。

〝国家〟と〝政治〟をめぐるプロブレマティーク

「わが〝日本経験〟」は、「沖縄体制論」をあらためて掘り下げると同時に、一九六九年の日米共同声明以後の沖縄返還を梃子にした日本国家による併合政策を補完し、代行していく社会的権力に退行した復帰運動のナショナリズム＝沖縄「革新」の病根に分け入っていく内容になっている。〈青春の日の〝日本経験〟で〝国家〟を見る〉と〈青春の日の〝沖縄経験〟で〝政治〟を知る〉からなり、仲宗根勇の思想形成の始まりの現象としての心的裂傷とそれがどのように深められていったかが辿れる。

青春の日の〝日本経験〟は、一九六〇年に東京大学に入学してすぐに味わった、沖縄出身であることへ向けられた同世代の偏見と差別、その裏返しにすぎない同情が複合したまなざし、決定的だったのは、六〇年六月一五日の国会前広場の数十万のデモ隊のなかで聞いた、沖縄を視野の外に排除したアイゼンハウアー米国大統領訪日阻止の「勝利報告」だった。仲宗根にとっては忘れることのできない思想的事件であるがゆえに、繰り返し呼び出され、「沖縄戦後政治の構図」(『中央公論』、一九七二年六月特大号)のなかでも、「それは昨日のように、あざやかに私の心に焼きついて離れない」という言葉で振り返られている。

仲宗根勇の政治思想が誕生する現場にして原場になっていることからしても、少し長くなるが目を止めておきみたい。


その日、訪日阻止を叫んで国会前にすわり込んだ厖大な国民大衆に向かって、執行部は誇らしげにかつ少々悲愴ぶって訪日阻止の成功を報告した。「岸内閣の議会主義の破壊と日米反動の陰謀のテコ入れに本日訪日予定のアイゼンハウアーの訪日は阻止されました。我々は勝利しました。卑怯なアイゼンハウアーは沖縄に逃げ去りました!」。大衆は歓呼した。だが、私は気も動転せんばかりに驚いた。これは一体どういうことだ? 沖縄にアイゼンハウアーが上陸したことはとりもなおさず、日本=沖縄に足を踏み込んだことなのではないか! 沖縄は異質の外国とでもいうのか! 安保反対のどのような政治的党派のアジテーターも必ず言及する沖縄の状況とは何なのか。真実は何も知らずに、いや偏見と先入観をもって前提された知識と意識の形でしか、沖縄は本土日本人、とりわけここに集まったいわゆる革新的な人々の中でさえ存在しているにすぎないのか。

「卑怯なアイゼンハウアーは沖縄に逃げ去りました！」――この「勝利報告」は、まさしく「『沖縄』とは何か。日本国家にとって沖縄とは何か。いや、そもそも『日本国』とは何か。そして、もっと根源的に国家とはなにか」といった、いくつもの問いを誘発し、それまでの自他の沖縄認識を根源的に再考していくことを促した。六〇年安保闘争の渦中で目撃した光景は、二つの覚醒を引き出した。ひとつは、おのれが育んだ常識や前提が日本的現実からは取るに足らない、曲解された砂上の楼閣に等しかったこと、いまひとつは、無条件の絶対的な最終的政治目標として疑わなかった日本復帰論が、現実離れのロマンティシズムにすぎないこと、これである。つまり、その前提とされた日本＝沖縄という等号は、本土日本（人）の「沖縄＝贖罪論」と沖縄（人）の心情的ナショナリズムとの共犯関係を覆い隠すもので、国家への視点を欠落させた幻想でしかないということである。

ここにおいての〝日本＝沖縄〟の等号への疑念は、あの初期エッセイを通奏する、ローカル性には囲い込まれない沖縄の「歴史形成の特殊性」からくるものであり、ミッションス・イデーが〈構成〉を獲得していくときでもある。そして続けて述べた痛切な言葉は何度でも想起されるべきだろう。すなわち「おのれの血への覚醒、生まれへの憎悪、コンプレックス。しかもそれにもかかわらず、いやそれ故にますます昂ずる『沖縄』へのやみがたき情熱。私はほとんど狂気のようにおのれの人間存在がただ他人の視線の中にのみあるという実存的感覚にがんじがらめにされ始めていた」、それゆえに「私はこの『沖縄』の謎を自力で解くことなしには生き残れないだろう」と自分自身に言い聞かせた切迫した言葉は、仲宗根のその後の衰えることのない思考の勢量を知る者にとっては忘れ難い。そして別のところに挟まれていた「内奥の苦痛として重圧となっている『沖縄』」というときの〈重圧となっている「沖縄」〉は、〃マンガタミー〃の謂いであることを知らされるだろう。

仲宗根勇の思想の原質を探究するうえで、見逃せない重要なことが言われているのは間違いない。ここで語られていることを大胆につづめてしまえば、沖縄と日本の関係に植民地主義と本土中心主義を見て取った、ということである。「謎」と「内奥の苦痛」はこの本土中心主義的なまなざしに関係していた。とりわけ注視しておくべき「ほとんど狂気のようにおのれの人間存在がただ他人の視線の中にのみあるという実存的感覚にがんじがらめにされ始めていた」という一節は、そのことの痛みを伴った覚知であった。もはや沖縄と日本の関係は等号で囲い込まれることはできない。そのとき、〃マンガタミー〃という受苦は能動へと転じていく。だからこそ「このような戦慄するが如き使命《ミッションス・イデー》感とは別に、私は『沖縄』を自分に課せられた最も切実な問題として、それを接点とすることによって、もっと高次の、自己の自立した思想的拠点を構築し、生涯の自己の思想経営を行いたい」と追言しなければならなかったのだ。

この内発の強度をもう少し視野を広げてみると、遠くのことと思えた出来事が意外と近くにあることに気づかされる。たとえばフランスの植民地で、戦後は海外県となったカリブ海諸島のマルチニック島を出自にもったアドレセンスが負った傷と痛みをめぐる葛藤と転生である。仲宗根勇の「外傷体験」は、〝白〟の記号体系への幻想が実際の宗主国フランスでゆすぶられ「ネグリチュード」（黒人性）を発見していく『帰郷ノート』や『植民地主義論』の著者エメ・セゼール、『黒い皮膚 白い仮面』や『地に呪われたる者』によって黒人の生体験の内奥にメスを入れた、マルチニック島出身のフランツ・ファノン、黒人性をアフリカに求めるのではなく、カリブ海の島々へとまなざしを返し、『レザルト川』や『全世界論』や『関係の詩学』などによってマングローブのような根茎と複数性を「クレオール性」へと転回させていったエドゥアール・グリッサン、そのグリッサンの衣鉢を継ぎながらも「我々は永遠にエメ・セゼールの息子」であることを自認し『クレオール性礼讃』を共同で執筆したパトリック・シャモワゾーやラファエル・コンフィアンやジャン・ベルナベなど星座のような第三世代、そして「ネグリチュード」を経てアフリカへの旅によって混合と複数性へと越境した、やはりフランスの海外県グアドループ島生まれの小説家マリーズ・コンデの「クレオール性」など、植民地本国での心的裂傷を政治と文学の産褥にしていたこととけっして無縁ではない。

ちなみに仲宗根勇の「他人の視線の中にのみあるという実存的感覚」を、F・ファノンが受けた〈まなざし〉の暴力性と「黒人の生体験」と交差させてみよう。トロピックな島から本国にやってきて、まず出会うのは「ほら、ニグロ！」という声であった。「ほら、ニグロ！」「ママ、見て、ニグロだよ。ぼくこわい！」――子供の目は掛け値がないだけに、そのまなざしの直接性が容赦ない人種主義と植民地主義の棘となって突き刺さってくる。「私は私の身体、私の人種、私の父祖の責任を同時に負っていた。私は自分の身体の上に客観的なまなざしを注いだ」「周囲には白人が、目を上げれば空が己の臍をひきむしっている。大地は私の足の下で軋む。そして白い、白い歌。すべてのこうした白さが私を真っ黒に焼く……」。こうした白いまなざしによる決定を〈他有化の病〉だとすれば、それはそのまま仲宗根勇の「わが〝日本〟経験」そのものでもあった。

さらに言えば、ファノンがジャン＝ポール・サルトルの『ユダヤ人問題』のなかの「彼ら（ユダヤ人）の言動は絶えず内部から多元的に決定されている」という勘所を、「私は外部から多元的に決定されているのだ」と読み換え、黒人の生体験に分け入ったとすれば、仲宗根は「沖縄の遺書――復帰運動の終焉」（『新沖縄文学』一八号、一九七〇年）で、やはり『ユダヤ人問題』のなかの「ユダヤ人とは他の人々が、ユダヤ人と考えている人間である」ことや「概念が経験に色をつける」とした個所に注目して露光していた自己の受苦を想起させるものがある。この「概念が経験に色をつける」という要点は、〈他有化の病〉のヴァリアントだとみなしてもよいだろう。

ここにきて、仲宗根の「他人の視線の中にのみあるという実存的感覚」は、サルトルとサルトルの影響を受けながらも読み換えたファノンの理論的、実践的営為に呼応し合っていることを納得させられるはずである。ただし、仲宗根はファノンについて言及しているわけではない。言及はしてはいないが、はるかにファノンのメスに近いところがある。私を多元的に決定するのが内部ではなく〈外部〉であること、経験に色づけするのが〈概念〉であること、「わが〝日本〟経験」で沖縄の政治と民衆の生態を解剖したメスが出会い、共振する。だが、仲宗根においては「沖縄とは何か→日本国とは何か→国家とは何か→民族とは何か→人間とは何か→自己とは何か。すなわち、私は総じて思想というものへの関心、人間、社会、歴史などというものの存在を『沖縄』を核にしてさぐらねばならなかった」という累進する問いの矢印の果てに訪れる「自己」と「沖縄」を、より「国家」をめぐる問題圏で掘り下げていった。〈青春の日の〝日本経験〟〉でみた〝国家〟こそ、沖縄の戦後抵抗の歴史をひと色に染め抜いた「祖国復帰」運動が不問にしたものであった。それともこう言い直すべきなのかもしれない。私を多元的に決定した〈外部〉や経験に色をつける〈概念〉を、国家としての日本と沖縄の日本復帰運動が相互に補完し合う閾値で探究のメスをふるった、と。

交差し交響する二つの中心

〈青春の日の〝沖縄経験〟で〝政治〟を知る〉は、青春の日に〝日本経験〟で見た「国家」への視座を欠き、社会的権力となった日本復帰運動とそれによって誕生させられた「革新」政権の反民衆性を批判的に剔抉していくことに費やされている。核としての「沖縄」が今度は内在的に問い返されていく。

政治の季節のまっ只中に帰郷した仲宗根勇が目にしたのは、「思想的運動者」も、「運動的思想者」もいない空疎なスローガンと形骸化した運動の実態だった。「復帰運動の弱い環や矛盾や頽廃」を克服することが問われ、戦後沖縄の状況変革の主要テーマが「復帰」の瞬間に凝集されていたにもかかわらず、民衆の手で実現したはずの「革新」政権とそれをささえた諸組織の凭れあいで、整序的に敷き均されていく。その共犯の典型的な例が、一九六九年二月四日のB52撤去全島ゼネストの流産であった。日本政府と革新政権と革新団体が一体となって、軍事植民地体制に大きなダメージを与えたであろうゼネストのうねりを決壊させてしまったのである。仲宗根が帰郷後の沖縄で知った〝政治〟とは、日米共同管理体制への移行のイデオロギー装置と化した「祖国復帰運動」と沖縄的「革新」の姿だった。

ここで、仲宗根の「一九六〇年の六月一五日＝東京・国会議事堂周辺」とともに原風景の楕円のもう一つの中心であった、つまり「一九六五年八月一九日＝沖縄・東急ホテル前一号線軍用道路上」をめぐって「沖縄戦後政治の構図」のなかでドキュメントされているトピックについて触れるべきだろう。日本の首相として初めて来沖した佐藤栄作一行の宿泊先となったホテル前の軍用道路一号線は、その夜、数万のデモ隊に占拠された。復帰協指導部の方針は、デモ隊を流れ解散で収拾しようとしたが、道路占拠中のデモ隊の憤激にあい、徹底的すわり込みを決定する。が、午前二時頃になって、あの六・一五の国会占拠の中で聞いたのと似たような声をその耳で聞き、似たような光景をその目で視ることになる。「われわれは勝利しました。次の大きな闘争に備えましょう」。解散を呼びかけた、その声をシグナルのように受け取った警官隊がデモ隊に襲いかかった。軍用道路を占拠することは、ヴェトナムへの軍事輸送を阻むことであった。「巨大な歴史的行動を選びとりつつあることを意識した瞬間、全情勢は逆転した」という仲宗根の言葉のうちに、「日本復帰」を至上にしたナショナリズムの抑圧と予見された未来の暗転をはっきりとたしかめることができた。「虚妄の運動」とか「暗愚の思想」という強い言葉を使って糾したのがわかるというものだ。

一九六〇年六月一五日の国会を占拠した集会の中で聞いた国民運動指導部の「我々は勝利しました。卑怯なアイゼンハウアーは沖縄に逃げ去りました！」と、一九六五年八月一九日に軍用道路一号線を占拠した臨界点で聞いた復帰運動指導部の「われわれは勝利しました。次の大きな闘争に備えましょう」という二つの「勝利報告」――六・一五と八・一九、安保闘争と佐藤来沖阻止闘争、首都の中心と軍事植民地沖縄の軍用道路一号線、二つの日付をもつ二つの占拠が物語る、沖縄を視野の外に追放した安保闘争の本土中心主義と、国家意思を代行するイデオロギー装置としての復帰運動――この経験の痛点は楕円の二つの中心となって、一九六九年一一月の日米共同声明とそれ以後の政治過程に光を当て、照らし返す視軸になった。復帰に「反戦」や「日本国憲法」を接木して名辞を取り換えたとしても、〈復帰〉を基体にしている以上、「安保復帰」にしかならないという指摘はその陥穽を鋭く衝いていた。

「沖縄の遺書」は、日米共同声明によって明示的に国家へと円環していく擬制の政治への死の宣告として書かれたものであり、仲宗根が鋭角的に対象化してみせた問題群が反復的にではあれ論述されていて印象深い。ポレミカルな本領が躍如とするところであるが、このなかで、一度目は喜劇として、二度目は悲劇として、日本国家に明確なジンテーゼを突きつけた例を挙げていたのが興味を引く。一度目の喜劇とは「非歴史的な沖縄独立論」のことで、二度目は、悲劇かどうかは措くとして、日米共同声明路線を具現する国政参加を拒否する思想として発酵しつつある「沖縄自立論ないし土着沖縄論」である。

仲宗根は沖縄タイムスの複数の記者が受け持って、一九七〇年一月一日から同年八月二三日まで連載した「沖縄と七〇年代」のなかで「国家権力による〈被害者〉から、国家権力に対する〈加害者〉へわたしたちを転化する契機」たろうとした新川明の言に、沖縄が〈自立〉を孕むラディカリズムをみていた。国家に対する視座の位相転換、〈自立〉とは認識論的な転倒であり、イメージの革命でもあるということなのだ。国政参加拒否—反復帰—自立の思想は、転換期の風景を刷新した。そして復帰運動は階級的に無色な「沖縄共同体」を意識の中のどこかに隠しもって、そこを基点に展開されたこと、「復帰運動とは、結局のところ、島の祭りであった」と辛辣に、いささかアイロニーを込めてくくり終わらせた。「沖縄の遺書」が読む者に強い印象を残すのは、復帰運動の敗北の構造を見定め、死を宣告した、その筆鋒の異様な力にあった。「祭り」に終わった「遺書」の要諦は国家論の不在にあった。仲宗根勇自身もそう呼んだ〝シュトルム・ウント・ドランク〟時代の言語闘争を集めた『沖縄少数派』の副題を「その思想的遺言」としたのも、二つの日付をもつ原体験によって明視された「国家」と「政治」が、戦後沖縄の一木一草にまで宿るようになった復帰思想との格闘の果てに到来した認識からであった。

〈反復帰〉の思想から構成的力能へ

一九八一年に川満信一の「琉球共和社会憲法C私（試）案」とともに『新沖縄文学』四八号の特集「琉球共和国へのかけ橋」に発表された仲宗根勇の「琉球共和国憲法F私（試）案」（注）は、〈思想的遺言〉の後に獲得された世界像であり、また「理念なき闘争」を搔い潜って練り上げた「理念」の果実である、と言ってもよい。憲法案は、「部分」となっているように「前文」と「基本原理」にとどめられているにしても、端倪すべからざる政治思想の筋力と眼力に瞠目させられる。

この言語結晶は、〈青春の日の〝日本経験〟で〝国家〟を見る〉のなかで素描していた「沖縄」→「国家」→「自己」と連鎖する問いを磁力にして練り上げられた理念による「復帰」一〇年目の時代状況への創造的転倒としても読めるだろう。憲法私（試）案は二つの問題意識がくぐらされている。ひとつは、繰り返すことになるが、復帰運動という社会的権力が「国家」への回帰であったがゆえに破産したこと、いまひとつは、その心情と論理を批判的に超克し、沖縄自立の思想的根拠を胚胎した〈反復帰〉論のウイングを構成的力動として定位したということである。

仲宗根勇のなかでは〈思想的遺言〉を書く過程で、すでにして構成的権力‐力動への志向が予感されていたところがある。任意に拾ってみよう。たとえば「アメリカ支配下で、私たちが、外在国家〝日本〟の圏外で疑似的なミニ〝国家〟を経営しえたときに、どうして私（たち）は、明確に〝日本拒絶〟→〝国家廃絶〟へと一歩でも近づく手だてを講じえなかったか」（「『日本国民』になるとは」、一九七二年）とか、「悠久の沖縄民衆史にとって『国家からの自由』を獲得する千載一遇の好機とも言うべき敗戦から一九七二年五月一四日まで」（「復帰と反復帰」、同年）、さらに一九七五年の「コミューンとしての沖縄と沖縄人が、自己の力を信じ、みずからの土地と人間を組織してみずからの新しき社会創出を志向し、分離と自立への道をラディカルに模索する悠久の歴史的行為を自律的に選びとらず」（「理念なき闘い」）というように。それらの「〝日本拒絶〟→〝国家廃絶〟」や「国家からの自由の獲得」、「コンミューンとしての沖縄と沖縄人」や「分離と自立への道」は、「復帰運動の敗北が、単に、沖縄の民衆の政治的敗北であるにとどまらず、民衆が『国家』について思考をめぐらすべき千載一遇の好機を逸した」という認識に淵源していることはまちがいない。

「前文」と九条の「基本理念」、一五の「注釈《コンメンタール》」からなる憲法構想は、日本国家への円環を閉じた復帰一〇年の沖縄にあって、灰の中のダイヤモンドを拾い上げる想像力の闘いであり、幻想と擬制の終焉を土壌に培養された理念の結晶でもある。この憲法の特徴を三点挙げることができるが、その前に急いで押さえておきたいことは、なぜ〈琉球〉を選び取ったのかである。「沖縄」が明治の琉球処分によって日本国家に等号で拘束される命名をめぐるポリティックスによる名だとすれば、その命名に物象化された近代の呪縛を解き、創造的に離陸していくためには、日本と台湾のあいだに弧状に連なる群島のアジアとの接触の経験に宿っている記憶をめぐるポリティックスを過去と未来に開いていく時空間としての〈琉球〉でなければならなかった。

仲宗根憲法案の特徴点に移ろう。まず第一に、基本理念や前文や注釈を貫いている主体とその動力となっているのが〈困民〉と〈困民主義〉であること。ちなみに「注釈」(一)3には、今回の琉球共和国樹立の動因となった革命の指導理念が困民主義であり、それは「古くはアナルコ＝サンディカリズム、そして社会主義国家連合によって圧殺された一九八〇年代ポーランド労働者運動の歴史的痛憤を背負って、人民の参加と自主管理によって、〝無政の郷《コンミューン》〟を樹立しようとする歴史哲学にほかならない」となっている。

〈困民〉とはどのような概念だろうか。明治一七年に「秩父の谷間から蜂起した秩父困民党に由来するとあるが、かなり少数説」と謎をかける言い方をしているにしても、この語に特別な歴史認識が込められていることは間違いない。たしからしいのは、一九七二年の「復帰」という名の併合によって、それまで「非国民」だった沖縄の民が日本国家と「国民」に編入されたことへの内省と、〝無政の郷〟にコンミューンとルビを付したことからして、言葉の響きに思想性を聴き取る〝耳の想像力〟によって「コンミューン」を〈困民〉に翻訳したらしいこと、つまり〈困民〉とは〝無政の郷〟を樹立する新たなるエージェントとして想像し創造されたと言えないだろうか。「国民」でもない、「市民」でも「人民」でさえない、むしろ「難民」を想起させる草莽の民にしたことは既成の概念には収容させない命名のポリティックスの介在なしには的を逸することになるであろう、〈困民〉とは発明された行為主体であり、条文を運ぶ「困民主義革命」「困民主義共和国」「地方困民」とは、琉球共和国憲法私(試)案のイディオムということになるだろうか。

第二に、琉球共和国憲法は、〝世界国家〟へ向かう過渡的国家であることをはっきり自己規定したこと、言い換えれば「廃絶の運命をたどるよりほかないことは、自明である」としたことであり、それゆえに「人類史の〝無政〟化を遂行する過渡的な〝世界国家〟を、めざすという二段階無政論を構築する」とした階梯が設営されている。ここに〈過渡〉さえも廃絶した琉球共和社会憲法との違いがある。

第三に、「琉球共和国」という独自な地政と歴史を形成していく以上、過渡的境界もまた引き直されなければならない。「基本理念」第二条の「琉球弧を形成する諸島嶼をもって、琉球共和国の可視的領土とし、ニライカナイの地をもって精神的領土とする」とした提喩はその鮮やかな形象である。この〈可視的領土〉と〈精神的領土〉の組み合わせは〈過渡性〉のイメージを喚起して秀逸である。〈可視的領土〉は第三条の「①琉球共和国は、奄美州、沖縄州、宮古州、八重山州及びその余の周辺離島からなる、分権主義を基調とする連合国家である」で開示されている。〝過渡期〟とは、此処と彼処、過去と未来の〈あいだ〉のトポスである。海を抱く群島の思念であり、まつろわぬための生存の審級である。

そしてもっとも際立つのは、言語問題を明文化したことである。第六条はこうなっている。「伝統的琉球語、その他共和国内で通用している言語の使用は任意である。官憲の行為および裁判事務についてのみ、法律を以って、公用語を定めることができる」。琉球語と日本語を公用語とする」。コンメンタールでは、日米共同声明路線に基づく沖縄返還協定を可決するいわゆる「沖縄国会」で爆竹を鳴らし、日本が沖縄を裁くことはできない、と訴えた〈在日〉の沖縄青年同盟の国会決起と、その第一回公判で琉球語を使って陳述したことに対し、日本国裁判所法第七四条の「裁判所では、日本語を用いる」を理由に日本語を強要したことや、山之口貘が何十年ぶりかで帰郷したときに失意のうちに、沖縄語までも「サッタルバスイ」と詠んだ「弾を浴びた島」などに注目しながら、「言語が生きている空間は政治と不可分」であるとしていた。そうであるがゆえにパラオ非核憲法やベルギー憲法の言語条項が民族的、地理的多様性を文化的に統一する多文化主義の非政治性に脱色していくことに対して、琉球共和国憲法は「自分たちの言葉を政治的対抗概念として明確に認識し、位置づけ、これを実定化」したものである、とその違いを明言している。座りのよい相対主義の安定を嫌い、あえて〈対抗〉の毒たろうとしたのは、内面化した自己植民地主義によって自ら自らの言語を喰ったことへの遺恨が装塡されているはずだ。

「琉球共和国憲法私（試）案」は、〝国家〟を視て、〝政治〟を知った楕円の二つの中心を遠い原点に、

〝沖縄の遺書〟を書いた場所を中継して、〈反復帰〉論を構成的力能に結像させた稀有な達成だとみなしてもよい。未完ではあっても、「琉球共和社会憲法私（試）案」とともに、沖縄の戦後思想の果てまで行こうとする者は、必ず一度はこの法門の前で立ち止まることになるだろう。

〔注〕沖縄の戦後思想の到達点ともいえる、川満信一氏と仲宗根勇氏によって起草された二つの憲法私（試）案の意義にあらためて光を当て直していく考えのもとに、二〇一四年に『琉球共和社会憲法の潜勢力――群島・アジア・越境の思想』（川満信一・仲里効編）が刊行された。引き続き仲宗根憲法論集も準備されたが、中断を余儀なくされていた。本稿は沖縄戦後世代の精神史を探訪していく問題意識から書かれたものではあるが、企画実現へのひそかな希求も込めていた。幸い仲宗根勇氏の目に止まり、中断していた企画が動き出し「復帰」五〇年の今年五月、『琉球共和国憲法の喚起力』（仲宗根勇・仲里効共編）となって結実した。本稿で仲宗根共和国憲法について触れた部分は、予備的な考察という性格になっている。そのため一部重複個所はあるものの、本格的には『喚起力』に寄せた「発見された〝Constitution〟――可視と不可視の〈あいだ〉の共和国」で論及されている。

蠕動する国境と生霊たちの日本語

一九七〇年を挟んでその前後の転換期の沖縄が辿ろうとしている問題の核心に〈国境〉を視座にして迫ったのは川田洋であった。この時期、川田は憑かれたように、と形容しても言い過ぎではないほど、七二年沖縄返還による国境画定が国家の動態をも規定していくことや運動主体の問題まで言及した一連の論考を発表していく。いわば〈国境〉によって国家の動態を読むという方法である。

まず、一九七〇年の『情況』八月号に発表した「新左翼運動と沖縄」を挙げなければならないだろう。状況を大きく変えるはずだった沖縄全軍労の第三波ストの流産を、沖縄闘争の戦後の終焉にとどまらず、新左翼運動の六〇年代の終焉でもあるという見方から書き起こしていた。すでに日韓条約の本調印をすませ、六五年八月に首相としては戦後初めて沖縄を訪れた佐藤栄作にとって、沖縄の施政権の返還は残された最後の戦後処理としての「国境・領土問題」であるとされる。そこから六九年の日米共同声明―七二年返還へ向かう政治コースは対外的膨張を規定する政治過程であり、その再編の世界性・アジア性に〈国境〉がせり上がってくることが見通されていた。いわば沖縄問題に〈国境〉という視座が登場してくるはじまりを印していた、といってもよいだろう。

「日本労働運動の〈国境〉」（『現代の眼』七一年八月号）は、労働運動の側から見た沖縄返還は、本土階級闘争の敗北の諸結果の体系が沖縄に拡張することの意味だが、それ以上に「一個の巨大な政治過程であり、政治—社会総過程のドラスチックな再編の過程であり、日本資本主義による最後の戦後への決着であると同時に、本格的なアジアへの侵略の新しい段階の開始」であるという認識を示していた。「最後の戦後の決着」というときの〝最後〟と、「アジアへの侵略の新しい段階」というときの〝新しい〟に〈国境〉を見据えていた。それは戦後的秩序と国民国家の安定性が動揺しはじめたとき、国家と権力は「戦後型国民国家の〈国境〉再編にのりだすことによって、まさに〈国境〉の確定を政治基軸にする」という表現に見て取ることができるだろう。

「国境・国家・わが弧状列島」（『情況』七二年五月号）はどうだろうか。沖縄返還がすでに現実のものになっていたせいからか、論調にアイロニーへの傾きを感じさせるにしても、国家は解体しつつあること、死相をあらわにしているという考えのもとに《国境には穴を、国家には死を！》というテーゼを立てていたのが印象的だった。国家が解体し、死相を現わしているという認識の是非は措くとしても、沖縄の権力分析を通した、前年の「国境・国家・第三次琉球処分」の続編になっていた。

川田の〈国境〉論の主戦場は、転換期の政治・社会状況への批判的な参入がメインだったが、それだけに限定されたわけではなかった。沖縄の熱気に誘われるように生まれたドキュメンタリー映画について論じるときもその視座は手放されてはいない。主に『映画批評』に発表された論考はその感を強く抱かされる。煩わしさをいとわずに拾い上げてみよう。ＮＤＵ（日本ドキュメンタリーユニオン）の『モトシンカカランヌー』について論じた「〈国境〉と女たちの夜明け」（一九七一年七月号）、やはりＮＤ

Uの『アジアはひとつ』とプロダクション犀の『反国家宣言』や星ぷろだくしょんの『沖縄公用地暫定使用法』について論じた「『叛帝亡国・国境突破』の思想」、「承前――再び、逆説としての『アジアはひとつ』をめぐって」の副題を添えた同名の続編（七三年一月号）、そして「〈亡国〉の時代とはなにか？／新川明氏への応答――『国境』としての沖縄をめぐって」（七三年四月号）など、まるで〈国境〉が密度を加えて領域を横断していくような、その徹底ぶりがわかるというものである。

国境画定としての第三次琉球処分

こうした〈国境〉という視座をもって沖縄を、日本を、アジアを語る川田洋の一連の考察のかなめに位置すると考えられるのが、一九七一年の『情況』四月号に発表された「国境・国家・第三次琉球処分」である。テーマの絞り込みといい、論理の射程といい、この論考は川田の探究のそれ以前とそれ以後の集約軸となるものである。刮目すべきなのは、それまでのあまたの沖縄闘争論が戦後的な枠組みを越え出ることができなかったドメスティックな構造にメスを入れ、アジアを視界に開く論争的な試みにもなっていることである。戦後的認識枠組みを越えること、内を外に拓くとは、第三次琉球処分の総過程を「歴史の転機として捉える視点」を自らのものとすることができるかどうかにかかっているということだが、その「視点」とはいうまでもなく〈国境〉の窓に向けられている。言い換えれば、沖縄の返還過程を国境画定の問題として、つまり日本の国家が膨張したり縮減したりしながら国体を護持していくときの結節で、沖縄を包摂し、排除することの動態を読み破ることでもある。沖縄を問い、「本土」を問うことが同時になされなければならない。

これを闘争主体のあり方から読み換えればこういう関係になる。すなわち「〈沖縄〉は〈本土〉を拒否することによって、かつての日支両属・戦後の日米両属の歴史から飛翔しうるのであり、〈本土〉は、まさにそのような〈沖縄〉との関係においてのみ、〈本土〉としての規定性・日本という規定性を自ら破砕して新しい歴史過程を展望しうるのだ」。関連して〈日本の中の日本〉と〈日本の中の非日本〉という、いささかまわりくどい言い回しをしているのは、既存の枠組みを越えようとすることのある種の困難さからくるものと思われる。ここでの〈非日本〉とは、沖縄を含む在日朝鮮人・中国人など〈日本の中のアジア〉のことを指していることは疑いようはない。

〈非日本〉は〈日本〉を対象化し拒否することによって新しい視野へ抜けていくしかない。しかし、復帰運動は〈日本の中の日本〉を祖国として幻想したため、国家に囲い込まれる以外なかった。〈日本の中の非日本〉という表現には、それまでの沖縄の運動の限界を超克していく思想潮流として登場してきた〈反復帰論〉の論脈との共振がみられるが、川田は〈反〉の対象となった「本土」の側から応答したことになる。〈反復帰論〉が沖縄自身の自己超克だとすれば、沖縄を奪還するとか解放するとかという運動論に根強く残っている「本土中心主義」も根本から変わらなければならなかった。沖縄からの〈否〉と〈反〉を組み込まない認識や実践は〈日本の中の日本〉に囲われる以外ない。

ところで、〈国境〉という視座はいつ、どのようにして生まれたのだろうか。おそらく、と思う。川田が〃心情のアジア主義者〃として宮崎滔天の『三十三年の夢』を鞄につめ、はじめて二七度線を越えて沖縄を訪ねたときの経験のなかで発酵させられていただろう。平和憲法から遮断されたこの海の名前だけは「東中国海」ではなく〈東支那海〉であること、この番外地から二七度線の向こうのヤマトを見たとき、同時に「『平和憲法』二五年の彼方がかいまみえた」という場である。あるいは『叛帝亡国・国境突破』の思想」のなかで、七〇年三月に書いたことになっている「沖縄の闘争は、東京・ワシントンへ向いている視線を、西方へ、アジアへ向け直さなければ」（パンフレット『七二年沖縄返還＝第三次琉球処分と沖縄闘争』）という文言を思い出してみてもよいだろう。

〈東支那海〉が問いかける「『平和憲法』二五年の彼方」や「西方へ、アジア」へと向け直す、目のパラダイムチェンジこそ〈国境〉との出会いや〈日本の中の非日本〉という概念が生まれることを可能にしたということである。この地点から眺めると〈東支那海〉の向こうに日本の近現代史にとっての「最大の他者」としての中国の存在（への無視と無知）が浮かび上がってくる。〈国境〉と「最大の他者」としての中国、これこそこれまでの認識枠組みを根本から問い、新たな視界へと開いていくものである。

〈中国〉という「最大の他者」への無視と無知は、これまでの沖縄認識に欠けていたサンフランシスコ講和条約第三条の誤認と一対のものである。川田はいっている。第三条は日本の領土権の否定ではなく、沖縄が日本のものとしたうえでアメリカの施政権下に譲渡されたということであって、このことは戦後初めて南西諸島が日本領土であることが国際法上確定されたことを意味した。したがって、その破棄を求めることは三条そのものを認めることになる、と。この指摘は意表をついて沖縄の地位への定型的な理解と沖縄返還運動の陥穽に目を向けさせる。川田はその根拠に、沖縄を含む南西諸島の日本帝国政府の行政権の停止とすべての政治および管轄権は「占領軍司令官」の権限に属するとした、「交戦中の占領」として知られる一九四五年四月一日の「ニミッツ布告」を挙げる。この「ニミッツ布告」によって帝国日本の領土権から沖縄を含む南西諸島は分離されたが、サンフランシスコ講和条約第三条はそれらの諸島への日本の主権を認める（潜在主権、残存主権によって）ことになった。沖縄の日本復帰運動と「本土」の沖縄返還運動は三条が違法であることに依拠していたことによって陥った盲点が明らかになってくる。

第三条は不法ではなく、ただ不当である、と川田は喝破する。したがってサンフランシスコ条約第三条の撤廃と日本の領土権回復を求める〈復帰―返還〉運動は倒錯である、という見方に立つ。このことを森秀人の『甘蔗伐採期の思想』のなかの、放蕩親父と娘と遊郭の喩えを参照にして要旨次のように指摘する。アメリカという遊郭に売り飛ばされるその時になっても、沖縄という娘は日本という放蕩親父の親権を認めたこと、しっかりした娘なら放蕩親父を蹴飛ばして自立を選ぶがそうはならなかった。つまり復帰運動は日本の親権を求め、日本の支配と従属を自ら求めたということになる。自発的隷従とはこのことを指していうのだろう。

ここからさらに、講和条約第三条の誤認に基づく沖縄論が陥った「二つの顔」を問題にする。ひとつは、米軍占領＝異民族支配ととらえ、「復帰」によって解決しようとすることであり、いまひとつは、〈本土―沖縄〉の歴史的差別を取り上げ、差別解消を問題にしていく議論である。だが、この二つが前提とする〈本土―沖縄〉、〈日―米〉関係の視点には〈中国〉の存在がない、と論難する。また明治の併合過程とその後の「遅れ」を〈本土〉あるいは〈内地〉を尺度にして「遅れ」そのものを

「差別」と捉える比較主義的な方法論にも目を向け、沖縄を国内問題に囲い込むことはできないとする見解を示す。

中国の存在の無視については、三次にわたる琉球処分がそのたびに中国を呼び出してきた歴史をたどりながら検証していたが、肝心なのは琉球処分過程が国境画定の問題であることに着目したことである。しかし、とここであえていわなければならないのは、中国の存在というとき、同時に台湾の存在を見落とすわけにはいかないとしたことである。この台湾を視野の中に入れることの重要性は〈国境－国家論〉の要諦にもかかわっていた。

つまり、こういうことである。明治の琉球処分は日清戦争による台湾の併合によって完成したこと、敗戦によって失った主権を日本が回復していくための講和条約は、沖縄を含む南西諸島をアメリカに売り渡す排外の論理を国際法に擬制的に措定した第二の琉球処分であっただけではなく、台湾を蔣介石政権へゆだねることで引きこもったこと。引きこもったのは植民地責任を忘却することであり、冷戦に乗じた国体護持と天皇の戦争責任の回避のためであった。そして最後の敗戦処理としての第三次琉球処分は、引きこもりから外を、アジアを、アメリカのヘゲモニーに従属しつつ欲望していく踊り場にもなり、このことは沖縄が国境画定の問題として浮上することを意味したこと。重要なことは、沖縄と台湾の間に事実上初めて国境線を引くことになったことであり、琉球処分は台湾処分とも一体であった。「最大の他者」である中国とは、そうしたけっして無視できない台湾の存在を抜きにしては語れない。

川田自身の言葉でより端的に言い換えれば、沖縄が日本の領土であると前提的に語ることは、同じように台湾が中国領土であることを前提的に語ることになる。いうまでもなく、それは台湾と琉球列島のインターフェースな接触と歴史的交流を見落とすことになる。国境画定としての沖縄返還＝第三次琉球処分が生活者にとって何を意味するのかを、八重山における台湾移住者たちの事例を通して明らかにしてもいた。川田の国境＝国家論が注目に値するのは、三次にわたる琉球処分過程を国境画定の視座から見たことと、台湾の存在を歴史観の絞り値を上げることで被写界深度に捉えたことにあった。そしてその原点には、初めて沖縄に渡ったとき、〝心情のアジア主義者〟としての川田の想像力を掻き立てた「東シナ海」の名であった。「東中国海」ではなくいまだなお「東シナ海」であること、このことはこの海域をめぐってなされた国家の動態としての〈国境〉を浮上させた。「東シナ海」は、東アジア近現代史を問い続けることをやめない、そう確信させたにちがいない。今に至る尖閣列島（釣魚諸島）の領有権（国境の画定）をめぐって、東シナ海が緊張の海と化していることをみるにつけ、〝心情のアジア主義者〟の〈国境＝国家論〉がけっして過去のものではないことを思い知らされる。

〈国境〉という視座を導入すること、しかしそれは原理論としてではなく動態論として、つまり、国家は他の国家との関係で国家となるという考えからである。いわば国家が外に向かって延伸していく（外を切断し内に引きこもるときも）閾値において〈国境〉が顕現してくることを意味する。三次にわたる琉球処分の全過程で〈国境としての琉球・沖縄〉は、東アジアの政治空間に浮上し、戦後日本のニューレフトの闘争主体をも問いつめながら国家と権力の動態へと焦点を絞っていく。

〈権力〉とは、六〇年代の私たちの闘いの中では、上から重たくのしかかる何物かであった。その重圧に対する暴力的問いの中に、われわれは、〈世界〉への通路を直観した。しかし、〈権力〉は〈権力〉一般ではなくてまさしく〈国家〉であり、その「国家」は「国境」が問題になったときにはじめて、「国家」としての相貌を全的にあらわしはじめたのである。〈国境〉とは権力支配の〈辺境〉であるだけではない。その〈国境〉が不気味に蠕動を開始するとき、それは〈国家〉総体へ波及する運動論理をもってあらわれるのだ。

〈辺境〉から〈国境〉へ、〈国境〉の蠕動運動が総身をあらわすとき、それまでの引きこもりから身を起こし、アジアへ向かって歩を刻もうとする日本国家の動態を見定める方法と視座が据え直される。世界への通路は〈国境〉である。その交差点になったのがほかでもない〈琉球・沖縄〉であった。処分とは〈国境〉を画定する力のことであり、その力に国家の動態が表出される。〈国境〉は、川田洋にとっては転換期の結び目を読み解く、まさに発見であった。

ＮＤＵと運動としての映画と国境越え

こうした国境の蠕動と国家総体への波及を、映像の運動としてもっともラディカルに実践したのがＮＤＵであった。「流動する基底部」への下降運動として沖縄の、コザの、そのまた路地の奥の売春婦や無頼たちとの接触から生まれた『沖縄エロス外伝　モトシンカカランヌー』（一九七一年）ののち、島から玄界灘を渡り半島の在韓被爆者の無告に分け入った『倭寇へ　在韓被爆者無告の二六年』（七一年）、その後さらにターンし、東シナ海を横断するように沖縄から先島諸島（宮古、石垣、西表、与那国）を経て、台湾との間の海峡を越え「戦後日本の国境の貌」をフィルムの運動に刻み込んだのが『アジアはひとつ』（七三年）だった。

「NDU製作コメント」（『反白書1』七三年三月、反白書編集部）で、このドキュメンタリーの製作意図を詳述しているが、映画への複数の評者の見解に対する応答にもなっていて、その応答が、というよりも、応答を通してNDUの意図を闡明にしていく内容にもなっている。『アジアはひとつ』とは「一六ミリムービーフィルム・磁気録音・一時間四〇分の〈構成され、限定された時空〉」として位置づけられていたが、ここでの〈構成され、限定された時空〉というところに、映像集団NDUの、〈運動としての映画〉を書き込もうとしていた。

「限定された」は、別のところでは「抽象された」と言い換えてもいたが、「限定」にしろ「抽象」にしろ〈構成〉という力を介在させることであり、そのことによってドキュメンタリーの生命は吹き込まれるのである。〈運動としての映画〉は〈国境〉と出会い、〈国境〉は〈運動としての映画〉を開く。この相互性によって製作者―作品―鑑賞者の円環は破られ、作品性―作家性―観客性の制度的密通もまた否定されていく。円環と制度的密通から異化の時空へ、いわば「流動する国家基底部」への越境と横断の映画の旅ということにもなるだろう。

ところで、では、NDUにとって〈国境〉とは、〈国境を描く〉とは、どのように認識されているのだろうか。「製作コメント」から拾えば、こんな表現をとって定位されている。すなわち「国家あるいは国家間で画策された『線としての国境』に対して、歴史的または空間的に、その国境を生きている人々の貌」を描くことであり、「国家間における、非和解的属性＝国境線を空間として」とらえること、したがって「『線としての国境』の〈面としての無限拡大〉」にならなければならない。さらに「国境（に生活する人々・ゲリラ）を対象化して、自らを政治的に再編」し、「国境に生きる民衆の存在の与件としての国境観とその対象化」であり、「国家の輪郭として不可欠の国境線を面として描く禁制の突破への志向」というように。

〈国境〉と〈国境映画〉への姿勢が語られているが、モチーフの中心にあるのが「禁制の突破への志向」と「線から面」へ、というところにある。線とは国家の属性であり、面とは人々の貌である、とひとまずいっておく。禁制が突破される運動としての映画によって異なる出自と言葉をもった異集団がひとつの生活圏に放り込まれ、そのことは接触の内を外へと蠕動させていくだろう。この蠕動において顕われてくるそれぞれの〈国境〉を交換せざるを得ないわけだが、それは二重三重に折り重なっているのがわかる。

たとえば三つの名前を乗り継いできた生の軌跡によってみせつけられることになるだろう。一三歳のときに日本に渡ってきた韓国名・金東烈は、日本名を鈴木千吉、大阪で沖縄の今帰仁出身の女性と結婚し、沖縄で住むようになってからは村城盛徳に変えている。また台湾のタイヤル族の村では、山地名をヤブ・ムービンやサヨン・ムービン、日本名をヒラノ・カズコやキハラ・ユキエ、中国名をリン・パイチンチャオやチャヨ・ピンシャンなどの名をもつ女性や日本名がタニザキ・マサオの男性など、乗り継がれてきた名には、朝鮮半島や台湾山地先住民族の歴史に土足で割り込んでいった日本の植民地支配と国民党の軍事独裁政治の同一化の暴力が個人の名に投射されている、複合された〝わけ〟を読み取ることができるだろう。複数の名によって、一人の履歴に折り重なった〈国境〉を読み取ることができるというものだ。

映画はまた、そうした折り重なった〈国境〉が歌に流れ込み、〝心情の共栄圏〟を鮮やかに捕捉していて印象的だ。タイヤル族の村で、集まってきた男たちのうちの一人に、たたいたり、縛ったり、罰したり、鞭打ったりしてきびしかった日本の「帝国主義はまだあるか」と問われ、しどろもどろする製作スタッフに対し、たたみかけるように天皇が誰なのか聞いたりする場面である。それから男たちの話題は、山地先住民を立派な日本人にたたき上げたことや戦争中の労務奉仕団や徴兵の話に及び、フィリピンのバタン半島での戦闘で高砂義勇隊として動員され捕虜を殺害したこと、さらに「陣中報国」「大日本帝国」と書いた鉢巻きをした切り込み隊のことをひとしきり話しているところに、「海ゆかば」の曲が流れてきて、「あの歌わかる？」と男が聞き、「日本の歌よ、兄さん」と女が教えたり、「軍人勅諭」を声を合わせて唱えていた場面などである。

タイヤル族の村の山並に響き渡る「海ゆかば」は、「ずっと日本の教育になって、日本人になってしまった」山地先住民族に対する皇民化教育の果ての光景をみせられるようで、心を騒がせる。そして、ラスト、男たちの会話のなかで放たれた「まだやりたいって……戦争やりたいって」という言葉の衝撃力は、一挙に植民地支配のねじり合った痛点と移譲されていく暴力を露光して見せた。台湾山地先住民たちの村にはぜる日本語は、植民地支配がまだ終わっていないことを告げていた。

それだけではない。与那国に密入国した台湾漁船の基隆の港を見下ろす丘の上の船長の家で、松山恵子の「みれんの酒場」や森進一の「港町ブルース」、そして美空ひばりの「旅笠道中」や「あの丘越えて」などの日本の歌謡曲を歌う船員たち。また、那覇のビル工事現場や石油精製工場の建築現場で働く台湾人出稼ぎ労働者たちがバスのなかで春歌に変えて歌う「露営の歌」や、夕食が済んだ飯場の部屋でハーモニカの伴奏でやはり春歌にした「支那の夜」の漂いから感受させられる哀切さは、戦争と植民地支配とアメリカの傘のもとに擬制の「平和」と「経済」を謳歌した日本の〝戦後〟をアジアの〝戦後なき戦後〟によって逆照してみせる毒をもっていた。大島渚の『日本春歌考』とは異なる意味の笑いと毒を帯びていた。台湾と沖縄、時と場所を隔てながらも植民地支配と冷戦によって〈国境〉を行き来しながら流浪するひとびとの「春歌」には重なり絡まり合う声を聴き取ることもできるだろう。ナレーションスーパーの介入を排した映画集団にとって、こうした歌によって転写し合う感情記憶は〈運動する映画〉の影のメッセージにもなっていた。

生霊たちと〈ひとつ〉であるための命題

布川哲郎も告白していたことだが、『アジアはひとつ』が呼び出してみせたのは生霊であった。川田洋もまた「『大日本帝国』の生霊」(「『叛帝亡国・国境突破』の思想」)だった、と核心を突く見方をしていた。たしかに「帝国主義はまだあるか」とか「また、戦争がやりたい」というタイヤル族の男や三つの名前をもつ女性たちは、植民地化された土地を追われたうえ、戦争へ駆り出され、その心身に負った残傷が癒えぬまま敗戦後の時間を生きなければならなかったことにおいて大日本帝国の生霊にちがいない。また、やはり三つの名前をもち朝鮮半島から日本「本土」へ、日本「本土」から沖縄に流れて来た朝鮮人金東烈さんや西表炭鉱に騙され徴用され、戦後は西表島や石垣島の養老院で余生を送る台湾人元坑夫たち、そしてアメリカ施政権下の沖縄に契約で連れてこられ、夕食後の時間に戦前はやった流行歌を「春歌」にして歴史を逆なでしていく台湾人出稼ぎ工たちも例外ではない。そうした無名無数の生霊たちの「日本語」こそ、NDUの〈運動する映画〉の「構成」を脅かすほどの強度をもっていた。

一九六九年四月、沖縄への最初の渡航に始まるNDUの、「韓国」「台湾」を含む七度の「海外」活動は、当然にも「僕らの日本語」＝「戦後民主主義の用語（法）」を失っていくものでなければならなかった。そしてまた、僕らの「ドキュメンタリー対象」は、いわば必然的に「戦後民主主義に切り捨てられた日本語」との〈出会い〉であった。そこにおける〈出会い〉とは、「自己否定」の後に開示された世界であり、戦後近代国家日本と、その国境の発見であった。

これは「国境のある風景をめぐって」（『映画批評』一九七二年八月号）のなかで『専修大学新聞』にNDU自身が書いた文を再録した部分であるが、NDUの制作意図が凝縮されているとみなしてもよい。「戦後民主主義に切り捨てられた日本語」とは、まさしくあの生霊たちの日本語にほかならない。その出会いから〈国境〉は発見される。失うことと出会うことの相互転位と重層的決定、それとの出会いから「『沖縄へ』『韓国へ』『台湾へ』『アジアへ』『日本語が残っている幻の国境へ』」とか「僕らは〈国境〉から、近代国家に向けて水平撃ちだ」という言い方をしてドキュメンタリーへの出立を宣告していた。「水平撃ち」とは、線として引かれる国家の〈国境〉に対し、禁制を突破して面として生きられる異集団との接触の、その遊動的累進だとみなしてもよい。

『モトシンカカランヌー』のあとの「流動する国家基底部」へと下降するこの映画の狙いのもうひとつは、まさに、一九七二年の五月というただ今の時に、「日本復帰」によって沖縄と台湾の間に国境線が引かれようとする瞬間を撮り押えることであった。そのためには、琉球列島を南下してきた台湾島の果てのタイヤル族の村のラストシーンから逆に辿り直し、オープニングの「日本復帰」の日に戻らなければならないだろう。このあえてのターンはNDUの制作意図とはかかわりない、映画の外部に想像力を接合することによって第三の時空を設営することになる。その第三の時空とはほかでもない、〈国境〉が引かれていく瞬間を確かめ直すことであり、〈国境＝国家論〉に映像によって立ち会うことにもなるだろう。

終わったところに始まりを視ること、そのファーストシーンはこうなっていた。一九七二年五月一五日の「復帰」記念式典での佐藤栄作首相と天皇の声、街の風景、埋め立て地と沖縄に進出する本土企業のコマーシャル、沖縄島中部の基地の街に翻る星条旗と日の丸、そして混血の少女のまなざしなどがモンタージュされ、錯綜する沖縄の世替わりのノイジーな印象を与える、そのシーンは第三次琉球処分を進行形で撮り押えてもいた。そんな沖縄の国家併合のイニシエーションとそれ以後を予見した場面を、響きのディスクールとして問いかけたのがブラスの「君が代」とムトゥシンカカランヌーのアケミが歌う「十九の春」である。「君が代」はうるさいほどの音量で風景を威圧し、アカペラの「十九の春」は「日本復帰」の深層にある関係を静かにまさぐるように歌われる。「復帰」その日の風景を問い返すようでもあり、異化するようでもある。

では、アケミが歌う「十九の春」は何を、どのように問い、異化したのだろうか。この歌は慕う女とつれない男の掛け合いをラブソング風に仕立てているが、ユーモアとアイロニーが混入した掛け合いの機微と妙味が広く愛されるところである。男女の、だがけっして対等とはいえない仲を、このシチュエーションでは沖縄の施政権返還＝日本復帰に秘められた構造に譬えているように思え、なかなかに興味深い。「みすて心があるならば／はやくお便り願います／白菊ぼたんの花よりも／まだまだりっぱな花がある」というくだりは、女の慕う心に縫い合わされたまろやかな余裕さえ感じさせられ、アケミという名の、ムトゥシンカカランヌーの歌であることによって非所有と自立への兆しを読み取ることはけっして穿ち過ぎとはいえないだろう。とはいえ、実際の「復帰」は未練だけを残したまま「白菊ぼたんの花」を求め、「まだまだりっぱな花」があることを見出すことはけっしてなかった。アケミが歌う「十九の春」は、「復帰」という名の国境画定によってはけっして囲い込むことができない沖縄の路地の奥の闇に咲く〝花〟があることを伝えている。その〝花〟はブラスが合奏する「君が代」の音量に消されることはなく、「復帰」後は〈日本の中の非日本〉として身を隠すか漂流する以外なかった。

映像は「復帰」をめぐるマクロ政治からミクロ政治へと渡っていく。「多年の願望であった、沖縄の復帰が、実現したことは、誠に、よろこびにたえません」という式典での天皇の祝辞に「沖縄県」の立て看板、その狭間に混血の少女がじっとみつめる場面を対比させ、カメラは沖縄本島から宮古・八重山列島を経由して台湾に続く連なりと東シナ海の地図上をパーン、と、尖閣列島へズームアップ。そして「君が代」のラストフレーズで冒頭のシーンをフェードアウトさせる。「日本復帰」とは、天皇とその国家への編入でしかないことを提示してみせた。

それから石垣の埠頭で集団就職の中学生たちを見送る光景と宮古島狩俣のウヤガン（祖神祭）を撮り押さえていくが、そのウヤガンに内地の大手観光会社の現地派遣説明員の声をかぶせていく。この場面は、秘祭といわれたウヤガンさえ観光資源として利用されていくポスト「復帰」の沖縄を残酷なまでに予告している。「復帰」とは資本と市場原理を呼び入れることであり、土地とひとびとの暮らしの営みを開発と消費の対象に均していく。そして「復帰」の本質を不安のうちに感受しているのが八重山の台湾人移民たちである。台湾人移民たちにとっては端的に日本の入管法が適用されることであり、家族の身分が引き裂かれることでもある。「国籍」が欲しいと訴える姿は痛切である。

そうした不安は東シナ海を生活の場にしてきた海人《ウミンチュ》たちにも共有されていた。尖閣列島は豊富な漁場で、日本船、台湾船、沖縄船が集まることや台湾の漁具類と魚をバーターしていること、水揚げした魚を日本へ運ぶより近くの台湾へ運ぶ方が有利であること、そしてこうつぶやく。「日本復帰しないでもね、台湾と自由貿易できたらなあと思われるんです」。東シナ海を共生圏にしてきた海人の経験から「日本復帰」が何をもたらすのかが直覚されている。「国籍」を欲しがる台湾人移住者と台湾との交易を願う沖縄人海人の生活思想の底点から発せられる言葉は、〈国境〉をそれこそ面として、生活空間として分かち合ってきたひとびとを、線としての〈国境〉をもって引き離すことにしかならないことを伝えていて余りある。

ここでの「国籍」を欲しがった台湾人移住者とは、西表に住む元炭鉱雇人楊添福さんのことで、小さな舟で奥さんと犬を連れ仲間川を上り下りする生活をしている。カメラが原生林の続く川辺に沿って上っていく途中の川幅が狭くなっていく茂みに、楊添福さんの船が係留されているところを捉えた、そのとき、ラジオ放送「芸能バラエティ、帰ってきました沖縄」の声がかぶさり、にぎやかな沖縄民謡が流れる。犬を従えて田んぼを歩いている楊さんの姿とラジオの声がシンクロするところに、日本に「帰ってきました沖縄」によって構造化されていく疎外のきわみをみせつけられる思いにさせられる。カメラは疎外され、沈黙を強いられていく移動民がいることを静かに見届けている。

考えてみれば、ラジオから流れてくるアナウンサーの声は奇妙な印象を拭えない。番組が沖縄芸能のバラエティであることにもよるが、それ以上にその奇妙さは「帰ってきました沖縄」という表現のカラクリに関係しているようだ。つまりその声は、沖縄という主体を置き去りにしたまま向こう側からのまなざしを仮構している。この不在化された主体と仮構された向こう（日本「本土」）からの視線こそ、〈日本の中の日本〉に組み込まれたことの核心にあるものだということになるだろう。聞きようによっては、その声は〈沖縄〉を宙づりにすることであったということにもなる。戦後台湾人坑夫のほとんどが帰ったあと、帰る家もなくひとり西表島に残された経歴を知るとき、楊さんもまた生霊であることを痛みを伴って納得させられる。エンディングのタイヤル族の生霊たちがオープニングの沖縄の「日本復帰」を逆光のように透かし見たとすれば、西表島の川と森の生霊は「返ってきました沖縄」のおめでたき倒錯を順光をもって焼くだろうか。

ここにきて《アジアはひとつ》という大そうな名付けについて立ち止まってみるべきである。もしもこの名付けにふさわしい理由があるとすれば、戦争と植民地主義に血塗られた生霊たちとその名に異なる光を当てた竹内好の視点（「岡倉天心」『日本とアジア』所収）なのかもしれない。竹内は「アジアは一つ」を最初に唱えた岡倉天心の『東洋の理想』とそれと補い合う『東洋の覚醒』でいわれた「ヨーロッパの光栄はアジアの屈辱」であるという命題から、「アジアは屈辱において一つである」という第三の命題を引き出していた。第三の命題はこの映画の運動と重なる。

玄界灘─東シナ海─台湾海峡を移動しながら〈国境〉を水平撃ちし、禁制を突破したドキュメンタリー『アジアはひとつ』は「第三の命題」を多重に露光して見せた。三つの名前をもち沖縄まで漂流してきた朝鮮人・金東烈さんのカチャーシーの身振りに乗せて歌う「アリランの歌」とアケミが歌う「十九の春」、沖縄の「日本復帰」の日の「君が代」と台湾先住民族の山あいの村に流れる「海ゆかば」、台湾人出稼ぎ労働者が那覇の飯場で歌う「露営の歌」と「蘇州夜曲」を替え歌にした「春歌」、これらの残響と残影をフィルムの運動に終わらない植民地主義として刻印している。戦前の帝国日本と冷戦の覆いの下で「平和」や臆面もなく〝高度〟の冠を付して「経済成長」を自閉的にむさぼった戦後国家日本にうち捨てられ、だが、屈辱において〈ひとつ〉になるほかなかった〈日本の中の非日本〉であり〈アジア〉ではないだろうか。タイヤル族の村の男や女たち、八重山の台湾移住者の日本語は、昭和天皇の「復帰」の日の祝辞の擬態を攪拌し、民謡番組のアナウンサーの「帰ってきました沖縄」の空洞をしたたかに笑い飛ばすだろう。

舟を漕ぐなら今

一九六九年一月二六日の沖縄タイムスに、いれい・たかし（以下、伊礼孝）は「ユダヤ人とアラブ人難民の心情を共有」というサブ見出しで、一九七〇年代への戸口はどう意識され、何が問われるかについての一文を寄せていた。伊礼のこの文は、その三ヵ月前の七〇年一一月に実施された初の琉球政府主席公選の評価をめぐって、「人民を抑圧する巧妙な手段」でありボイコットすべきだとする『琉大文学』以来の友人たちとの意見の対立を振り返りながら、主席選挙を必然化した「祖国復帰闘争」の意義を説いたものだが、その問題意識を支えているのは「一九六九年――それはまさに祖国復帰闘争に思想的根拠をあたえ、日本の運命を決める分かれ道とされる七〇年に沖縄をつきさすことの可否が問われている年」だという認識からくるものであった。七〇年が日本にとっての歴史的転換期であること、その転換期に「沖縄をつきさすこと」が問われているとした、いわば伊礼なりの「何をなすべきか」であったといってもよいだろう。

「祖国復帰闘争」への批判にたいして必死に応戦しようとする伊礼の構えは、目の前の二月四日に迫った「B52撤去、原子力潜水艦寄港反対」を掲げた全島ゼネストが意識されていることは疑いようもなかった。当日は嘉手納基地を包囲する行動も計画されたゼネストは、伊礼がいうようにまさに「七〇年に沖縄をつきさす」画期を刻むことになるはずだった。だが、そのゼネストは主席選挙で誕生したばかりの屋良朝苗革新主席と、日米両政府、総評や同盟などが一体となってゼネスト回避工作を行ない、県民共闘会議を構成する主要労組や革新団体が「革新主席を窮地に追い込む」とか「復帰に影響する」とかB52の「六月撤去の感触」などの懐柔に屈し、潰え去っていく。

二・四全島ゼネストの流産は、まさに「主席選挙」を必然化したとされる「祖国復帰闘争」の限界を見せつけたばかりではなく、アメリカのアジア政策の再編と沖縄の日米共同管理体制の移行をより加速させることになったという意味でも歴史的分岐点になったといえるだろう。その年の一一月の日米共同声明は、「沖縄の七二年返還」を梃子にして日米安保を韓国や台湾の「平和と安全」へと拡大していくターニングポイントになったこと、決定的だったのは、沖縄の「祖国―日本復帰」運動が掲げた要求を、日米両政府がヘゲモニーの内に囲い込んでいく転換を画することにもなったことである。

七〇年代の戸口で意識され、問われていることの核心は、「祖国復帰運動」の限界をどのように超克していくのかであった。「分かれ道」は日本のそれである以上に、沖縄自体の分かれ道であった。その「分かれ道」を、伊礼孝は祖国復帰運動の「質的転換」と「連続性」に可能性を見出そうとしたが、しかしそれは、日米両政府が復帰運動を体制再編へとシフトチェンジさせたこととの相互補完的な関係とけっして矛盾するものではなかった。「主席選挙」に続く七〇年一〇月の「国政参加選挙」はそのことをより鮮明にした。「国政参加選挙」とは、日米共同声明路線にもとづく沖縄返還協定を、返還を待たずに沖縄住民の代表を参加させ、批准するというイニシエーションであり統治戦略にほかならなかった。「祖国復帰運動」の「連続性」という見方からすれば、主席選挙は「勝ち取った成果」ということになり、事実、その後それはスローガン化され保革の違いなく赤ジュータンへと送り込む儀式へと雪崩れをうっていった。

「質的転換」と見えるものは、実際にはそれまでの分離政策から一体化政策へと変えた日米の沖縄返還政策を越えるものではなかった。言い換えれば、分離から返還へと転換した日米共同の沖縄政策に復帰運動の「連続性」を動員していくことであった。まさしく「巧妙な手段」だった。六九年一一月の日米共同声明で取り決められた沖縄返還はそのことを実証するものであった。皮肉な言い方になるが、伊礼孝の主張が当時考える限りの復帰運動をオーソライズしていく「良質な」論理をもっていたとすれば、日米共同声明はその論理をヘゲモニーの内に取り込み、囲い込んだということである。「祖国復帰」とは領土化と国民化の閉域に自発的に同一化することであった。「七〇年に沖縄をつきさす」ことはついになかった。それどころか、米軍占領下で培った沖縄独自の抗体は、「本土」との一体化と系列化へと回収され、拡散、霧消していく以外なかった。問題なのは、「連続性」に宿った国家幻想であり、同化思想であり、ナショナルな欲望であった。「復帰」に〝真の〟とか〝完全〟とか〝反戦〟を付け足し、冠をすげ替えたにしてもその本質はいささかも変わることはなく、「質的転換」といえども機能主義的なヴァリアントである以上、幻想の内部を出るものではなかった。

シオニズムとパレスチナ難民を同一化する陥穽

伊礼孝のこの一文で目を落とすべきなのはむしろ別のところにあった。「復帰運動」の矛盾と限界を解剖する意味で一考に値するように思えたのは、日米関係に限定された条件下で自己閉塞的に進めた復帰闘争から体系化された思想闘争にしていくためには、世界各地で苦悩している民族との出会いの必要性を説き、「私はまたしても中近東の砂ばくでひしめく多くの民族とそのあらそいのなかに同じ運命を背負っている民族がいないかどうかを探しもとめざるを得ない。そして最近一つの結論に達した」と述べたところである。

その結論とは何か。伊礼はいう。「沖縄の祖国復帰運動は、ユダヤ民族のシオニズムであると同時に、シオニズムによってパレスチナの砂漠においやられたアラブ人難民と同じ状態を共有した闘争である」こと、つまり「国家をもとめるシオニズムの思想」とその「抑圧から解放されたいとするアラブ人難民の要求」の二つを共有しているという。続けて沖縄民衆は「ユダヤ人であり、アラブ人難民と同じ立場」であると追言していた。

そのうえで、日本復帰によって殺す立場にまわることや、抑圧する国家権力の構成員になることへの注意を促したところは議論の次元を変えようとする意欲さえ読み取れる。だが、それを「親帝国主義ナショナリズム」と「反帝国主義ナショナリズム」に振り分け、祖国復帰闘争を「反帝国主義ナショナリズム」へと向かわせようとするが、そのことは国家と国境線の拡張になったことは否めないだろう。

特殊事情化の闘争から世界的な地平へ導こうとする視野が呼び寄せた、砂漠の地で争うイスラエルのシオニズムとパレスチナ人の難民化への注目は、「民族運命共同体」に帰一していく復帰運動の限界に意識的であったとしても、ユダヤ人であり、アラブ人難民であること、国家を求めるシオニズムと国家なきパレスチナ難民と「同じ立場」であるとすることは〝自己矛盾的同時存在〟ともとれるジレンマを引き受けることであった。しかしそのジレンマ＝難問は、沖縄返還を梃子にした日米の共同管理への制度的移行であった主席選挙と国政参加選挙を「必然化させた」と伊礼がいう「祖国復帰」闘争は、シオニズムとの親和性はあっても難民を生み出した〝建国〟の陥穽に分け入ることはなかった。「祖国復帰」は〝建国〟神話のヴァリアントでもあった。そのゆえに、その陥穽から抜け出るためにはある種の倒立したロジックに頼る以外なかった。

こういうことである。シオニズムとはユダヤの民が迫害や虐殺を逃れてパレスチナの地にイスラエル国家を建設することで、そのことは避けようもなくパレスチナ難民をつくりだした。しかしシオニズムの一面をもつとされた沖縄の「日本復帰」運動は、国家を新たに建設するという性格ではなかったにしても、日本という国家を「祖国」と幻想し、そこに「帰る」ということで擬似的な主権を獲得しようとする従属的なナショナリズムであった。言い換えれば、国家に対する批判的視点を欠いていたために、復帰運動自体が「巧妙な支配の手段」として代入可能な装置として機能する以外なかった。伊礼が「シオニズムに等しい思想をもってもとめる国家『日本』への無条件な帰結が正当かどうかの議論がひどく欠落している」と注意を促しているにしても、その意図とは別に、復帰運動そのものの構造によって「反帝国主義ナショナリズム」の〝反〟は「親帝国主義ナショナリズム」の〝親〟と代入可能な関係にあることは打ち消しようもないということである。

中東の砂漠にひしめく民族のあらそいに思いを馳せ、ユダヤ民族とアラブ民族、シオニズムとパレスチナ難民、イスラエル国家の「建国」と数次にわたるアラブ連合国との戦争という、ヨーロッパの近代に淵源し、現代史の尖端的課題に〈沖縄〉を接合させようとした視点は是とするにしても、「反帝国主義ナショナリズム」が「復帰」という基体を変えない変異種であるかぎり、「沖縄をつきだす」ことはしょせん無理な話だった。のちに伊礼は、そのときの自ら取った立ち位置を「情況盲目主義」とか「あぶを演じた」などと、自嘲を込めて振り返っていたが、それは〝反〟が〝親〟に代換したということの痛覚からであろう。沖縄の「復帰」という名の併合によって、日本は戦後〝国体〟を再編し、再構築した。「祖国復帰」が沖縄のナショナルな欲望を動員した〝建国〟神話のヴァリアントだといったのは、そういった意味においてであった。

伊礼孝のロジックをいま振り返ってみれば、早尾貴紀が『ユダヤとイスラエルのあいだ――民族／国民のアポリア』（青土社、二〇〇八年）で指摘していた、ハンナ・アーレントやマルチン・ブーバーなどがユダヤ民族単独でイスラエル国家を建設することに危機感を抱き、ユダヤ人とパレスチナ人の二民族による共存国家とアラブ連邦国家構想、つまりバイナショナリズムにさえなり得ず、それどころかアメリカ占領下で獲得された抗体を溶解させてしまう「真の復帰」を仮装した純粋ナショナリズムの変態にすぎなかった。一九七二年五月一五日の「日本復帰」とは、日本の〝国体〟をナショナルな物語で強化していく動員装置にもなったということである。

「原罪意識」と「第三世界」からの視点

「復帰」そのものを問い返すこと、国家と国民化の臨界で考えていくこと、沖縄の自立を設営していくことにこそ、一九七二年をめぐる問題の要諦はあった。その要諦に接近するために、一九六〇年代のはじめに発表された二つのテクストを呼び戻してみたい。木下順二の戯曲『沖縄』と谷川雁の「無《プラズマ》の造型――私の差別『原論』」である。『沖縄』の初演は一九六三年一〇月にぶどうの会によってなされ、シナリオはその年の一二月に未來社から刊行された木下順二作品集Ⅶ『沖縄・暗い花火』に収められている。「無《プラズマ》の造型」は、奇しくも『沖縄』の初演と同じ年に発行された『思想の科学』(四月号)に発表され、のちに雁の兄谷川健一の編集で叢書『わが沖縄』第一巻「わが沖縄 上」(木耳社、一九七〇年、一九七四年には『無の造型――六〇年代論草補遺』と表題にもなって潮出版社より刊行)に、木下順二のエッセイ「沖縄」や「謝花昇の目」とともに収録されている。

この二つは沖縄が投げかける問いを磁力にして、差別と原罪と自己変革と沖縄の自立をめぐる難問に踏み込んでいて、三年後の六三年に刊行された森秀人の『甘蔗伐採期の思想――組織なき前衛たち』(現代思潮社)とともにそれまでの沖縄論の通念を改める先駆的なテクストになっている。無《プラズマ》の造型」はあとで触れることにして、先に戯曲『沖縄』が投げかけた問いについて考えてみたい。木下は

『沖縄』を書いたときの問題意識や時代状況について雑誌や新聞、そして単行本などでくり返し語り、書き、定型的な読みを提供しているのが〈日本の原罪としての沖縄〉である。とはいっても、書き出すきっかけをつかむまでには暗中を模索する時間を重ねることになった。シナリオ化を思いつき沖縄に関する情報も集めはしたものの、散乱する沖縄イメージに、沖縄沖縄と考えながら焦点のとらえどころがわからないまま日を過ごしていたとき、「突然はっきりと一つのヒント」を与えてくれたのが藤島宇内の「日本の三つの原罪――沖縄・部落・在日朝鮮人」(『日本の民族運動』弘文堂、一九六〇年)だった。このことについては、叢書『わが沖縄』第一巻に「沖縄問題を原罪として考える」という位置づけで収録された「沖縄」(一九六三年)をはじめ、「わが沖縄――その原点とプロセス」(「琉球新報」一九七三年七月二六日)などのほかにも複数のエッセイで触れている。「ヒント」というよりも、散乱する沖縄イメージを一挙に結像させる、まさしく決定的な出会いであった。

戯曲『沖縄』の粗筋はこうなっている。沖縄本島から数百キロ離れた小さな離島を舞台に、沖縄戦中に恋人をスパイ容疑で殺害され、日本兵からもアメリカ兵からも犯され、戦後は小学校の教員をやっていたが島に帰ってきた波平秀、秀は島のツカサの後継ぎと期待されたが頑なに拒む。一方、沖縄戦ののち沖縄住民に偽装して生き残り、秀の幼馴染と結婚し、島で身を潜めるように生活している旧日本軍軍曹の山野武吉、山野はかつて沖縄出身学徒兵をスパイ容疑で殺害したらしい過去をもち、本土資本が島の製糖会社を買収する話がもちあがったときには、島のイニシャティヴをとろうと工作をはじめる。そして夏休みに学友とその恋人を伴い帰省した島出身の大学生で、父を区長に、叔父を村長にもつ喜屋武朝元、彼はまた夢とうつつの間で殺された秀の恋人に重ねられもする。ドラマは秀を中心にして三人の絡みで展開していくが、アメリカ軍による土地接収と本土資本の製糖会社買収で揺れる一九六〇年代初めの小さな島をめぐって、沖縄と日本、戦争と占領、祭祀と共同体などの複数の問題が織りあげる、〝原罪意識〟〝自己否定〟〝自立〟のテーマを浮かび上がらせていく。

この〝原罪意識〟や〝自己否定〟や〝自立〟のテーマを凝縮させたのが一行のセリフだった。物語を成り立たせ、対話を組織するセリフのなかのセリフとでもいうべきなのかもしれない。そのセリフのなかのセリフとは、「どうしてもとり返しのつかないことをどうしてもとり返すための、何か」ということになる。いくつもの言の葉のなかのたったひと振りの〈原―言語〉――戯曲『沖縄』を読むこととは、この〈原―言語〉にどこまで迫れるかにかかっているといってもけっして言い過ぎにはならないだろう。そのことに注目し、『沖縄』のグラウンド・バスとしての〈原罪意識〉について深く掘り下げたのが武田清子であった。

武田は『背教者の系譜』（岩波新書、一九七三年）のなかの第三章「木下順二のドラマにおける原罪意識」の第一節「通奏低音《グラウンド・バス》としての原罪意識」で、「木下順二のドラマに展開する彼の思想における原罪意識、ないし、自己否定を契機とする歴史観をさぐってみたい」という問題意識から木下のドラマや評論や対談などを貫いている「一つの通奏低音（ground bass）」として〈原罪意識〉を聴き取っていた。ここでいう〈原罪意識〉とは、法律を犯した犯罪としての「罪」（crime）ではない、キリスト教でいう「罪」（“in”）あるいは「原罪」（original sin）を、教義の解明や文学表現からのアプローチではなく、くり返しあらわれる〝グラウンド・バス〟というシンボリックな意味で使われているとして、四つのディメイションを読み解いていた。

第一に、日本の近代形成の原理と方向について熊本洋学校の青年群像の葛藤を通してドラマ化した『風浪』のなかの教師であるジェイスンの言葉に託されたキリスト教的人間観と、戦中から敗戦後に集中的に発表された『夕鶴』に代表される「民話劇」に、日本人の「自然」と「自己認識」という二つの要素の絡み合いのなかに〈原罪意識〉をみたこと、第二に、戯曲『沖縄』にかかわることではあるが、日本近代における沖縄、未解放部落、在日朝鮮人への「差別」を「民族的原罪」もしくは「民族的原罪意識」として捉えていること、それは在日朝鮮人高校生による小松川女子高校生殺人事件に材をとった『口笛が、冬の空に……』も同じように「民族的差別」と〈原罪意識〉が書かせたものであるとしたこと、第三に、朝鮮への植民地支配と中国に対する侵略によって犯した罪を、『沖縄』の場合と共通した「取り返しのつかないもの」という「原罪観的罪観」として受けとめたこと、第四に、極東軍事裁判を扱った『神と人とのあいだ』で提起された「平和に対する罪」や「人道に対する罪」に関連して、誰が裁くことができるかと問い、勝敗にかかわらず人類全体の原罪的問題として認識したことなどである。

こうした四つのディメンションは、それぞれ分かちがたく関係しあっているが、とりわけ『沖縄』での波平秀がいう「どうしてもとり返しのつかないことをどうしてもとり返すための、何かを」というセリフを木下の作品の通奏低音として聴き取っていることが印象的である。このセリフは『沖縄』のなかでは大学生の喜屋武朝元や山野武吉との会話の間で、秀の口から呪文のように、過去にとった行為の還元不可能な意味のように、そして来たるべき行為を予告する言霊のように、惨劇の場となったガマの内部の闇の奥から萌え出てくる声となってリフレーンされる。

だが、といおうか、それゆえにというべきか、木下においてはこのセリフは、ドラマを成り立たせる鍵にもなっているということである。「どうしてもとり返しのつかないことを、どうしても取り返すために。――／この絶対に矛盾することばを〝秀〟のせりふとして自然に書くことができたとき私は、ああ、やっと〝ドラマ〟が摑めたという気がした」（「『沖縄』について」）という告白がいわんとするところである。「自分と出会う」というコラムでも似たような説明がなされていた。「私は本土にいて調べられるだけ調べあげた素材を私の観念でもって組み立てて『沖縄』を書いた。結果それは不細工といってもいい一種の観念劇みたいなものになったが、私は初めて〝ドラマが書けた〟という思いを持った」（朝日新聞、一九九一年九月一六日）。「やっと〝ドラマ〟が摑めた」とか「初めて〝ドラマが書けた〟」という言は、セリフのなかのセリフにおいてはじめて可能となったということである。

これらの自己言及は、木下自身もそういい、武田清子も四つのディメンションのひとつとして読み解いた〈日本の原罪としての沖縄〉との出会いによって可能となった〝ドラマ〟をつかむことと密接に関係し合うテーマを呼び出していることを見逃すわけにはいかない。そのことをまとまったかたちで明らかにしていたのは『あの過ぎ去った日々』（講談社、一九九二年）であったが、そこで木下は『沖縄』が生まれた背景について二つのことに触れていた。

ひとつは、安保闘争終焉後の一九六〇年秋に「第一回訪中日本新劇団公演」で中国を訪れたとき、七本の芝居のほかに『安保阻止の闘いの記録』と『三池炭鉱』、そして『沖縄』の三本の政治的シュプレヒコールを披露したが、中国のひとびとの特別な関心を集めたのが『沖縄』であったことが意外でかつ驚きであった、と告白していた。その理由について木下は、台湾の国民党政府が一九四七年に沖縄の帰属をもとめたことや「反米」への関心を挙げていたが、「私にとって大切なことは、そういう現象を見たことで、沖縄が直接に私の関心を突然強く掻きたて始めたことであった」と強調していた。いまひとつは、六二年に「ゾルゲ事件」にかかわった尾崎秀美をモデルにして『オットーと呼ばれる日本人』を書くが、その〝オットー〟と〝沖縄〟の構想が同居していた六二年六月、第二回アジア・アフリカ作家会議のためエジプトのカイロを訪問したとき、激烈な中ソ論争が展開され、そのことが「日本本土の身近な環境ではない世界を考えていた〝オットー〟や〝沖縄〟の構想に、感覚的な刺激を与えてくれた」と振り返っていたことである。

この二つの逸話が教えてくれるのは、外の目、つまり〝第三世界〟の目と〝第三世界〟での経験が『沖縄』誕生の産婆役になったことである。〈日本の原罪〉には必ずしも囲われるわけではない、いや、〈日本の原罪〉をくぐることによって、朝鮮や中国、東南アジアへの植民地支配と侵略行為への責任の問題を認識させ、グラウンド・バスとしての〈原罪意識〉の幅と厚みを加えていく。言葉を換えれば、『沖縄』は木下順二のドラマにとって日本と〝第三世界〟への窓であり、鏡であり、結び目であるということになるだろう。そしてそれを可能にしたものこそ、「どうしてもとり返しのつかないことを、どうしても取り返すために」という秀の「絶対に矛盾することば」であった。「絶対に矛盾する」がゆえに、木下順二の戯曲の四つのディメンションを渉り、繋いでいくのだろう。グラウンド・バスたるゆえんである。

自己否定をともなった自立と〝復帰拒否〟

このことはさらにもう一つの読みへと開いていく。沖縄の自立という問題である。もっと精確にいうならば、〝自己否定〟と〝自立〟、いや、自己否定をともなった沖縄の自立であり、また日本の自立でなければならない、ということである。こういうとき、「絶対に矛盾することば」とした「どうしてもとり返しのつかないことを、どうしてもとり返すための、何かを」という波平秀の、ドラマの結び目でありまた動力にもなっているセリフに立ち戻ることになるだろう。

では、「とり返しのつかないこと」とはどのようなアドレスをもっているのか。沖縄戦の最中、秀の恋人が日本軍の軍曹だった山野武吉によってスパイ容疑で殺害されたらしいことであり、多くの沖縄住民がガマのなかで殺されたこと、そして沖縄の近現代史が辿った抑圧や差別にかかわる、いわば複数の機縁を含みもたされているが、しかしやはり沖縄戦での惨劇の舞台となったガマの闇の奥にあるように思える。

そうだとして、「とり返しのつかないこと」のあとに来る〈何か〉が二重の謎をかける。沖縄の自立とはこの〈何か〉を探り当てることであるはずだ。「どうしてもとり返しのつかないことを、どうしてもとり返すための、何かを」というセリフは「あなたは今夜、どうしてもそれをするんですね？」というかつての恋人と重ねられた喜屋武朝元のセリフと「どうしてもあたしはしなければならない。それが何なのかは、まだあたしに分からないけれど――あたしをしっかりと見ていて。それをあたしにさせるのはあなたなんだから」という秀の声が過去と現在を結び合わせ、二人が口にする〈それ〉が問いの問いとなってまぐわいながら、しかし、ひとつの行為へと促していく。

この喜屋武と秀の対話に出てくる〈それ〉もまたドラマの結び目のように二人が抱擁する二つの場面で繰り返される。「とり返しのつかないことを、とり返す」〈何か〉と〈それ〉、〈何か〉は〈それ〉に接続されることによって内実を顕す。〈それ〉とは、山野が監視と連絡のために洞窟から岩場へと垂らした綱を切ることであった。秀は山野が外へ出ようとしてぶらさがった綱を切り、死に至らしめる。そしてラスト、自らも喜屋武や集まった島民が仰ぎ見る岩場の高みから、真っ赤な朝やけのなかに飛ぶように身を投げる。〈それ〉とは、名詞ではなく動詞であった。行為遂行であった。綱を切ること、つまり殺し、殺した自分をも殺すことは、沖縄と日本の双方の自己否定を介在させた自立というテーゼへと転轍されることであり、そのことによって転形期の精神へと受け渡されていく。木下が秀に体現させた「絶対に矛盾することば」とは、こうしたアポリアと見紛う難問をあえて引き受けていくことを意味していた。

ひるがえって、沖縄と日本の双方の自己否定を介在させた自立というテーゼは、沖縄に対する「民族的原罪意識」とその発露を木下が沖縄の「祖国復帰」＝日本の「民族独立」へ求めたことを問い直さずにはおれない。このことは『沖縄』という作品を作者自身に抗って読むことへと促していくということにもなる。言葉を換えれば、秀のセリフのなかのセリフは、木下順二に抗って『沖縄』を読むことへと誘う、それ独自の力を帯びていたということである。秀の「絶対に矛盾することば」はまた、

「祖国」と「復帰」、「民族」と「独立」へと束ねる同祖・同根論の罠を根本から問い直していく。

木下順二作品集Ⅶ『沖縄・暗い花火』に収められた猪野謙二・堀田善衛・木下順二の「解説鼎談」は、そうした作者に抗して作品が読まれていく場面を垣間見せてくれるようで興味深い。猪野と木下が沖縄の「祖国復帰」と日本の「民族独立」を求める立場であるのに対し、堀田は異議を挟む。たとえばそれはこんなクッションの利いた言い方で投げ返される。「沖縄は数は少ないけれども、苦労の度合いは多い……。だから、つまり、われらともに日本人だという、東京だって日本だっていう……。だから、本土復帰なんかするんじゃなくて、本土を捲き込んで進んで行くことが大事であるっていうことだ。どうも、そうだろうな。復帰なんて意味ないよ」と。この見解は当時としてはけっして多数にはなり得なかったが「民族的原罪意識」の「どこへ」の方位に宿る虚妄を衝き、まさに木下に抗って『沖縄』のもつ可能性を開いていく先見の明をもっていた。その見識は七〇年代の岸辺へと届けられていくだろう。戯曲『沖縄』の〝グラウンド・バス〟を聴き取ったのは、作者本人よりも読み手の堀田善衛だった、ということもできる。

この堀田の発言に関連して、木下はのちに「私にとっての沖縄」(『テアトロ』一九七一年七月号)で、毎日新聞の一九七一年一月一八日夕刊で報じられた、沖縄においてインテリの間だけではなく労働者の間からも「本土への復帰拒否という声」がでてきていることに、「まさにでたという意味ではショッキングなものと感じられました」と、沖縄からの声によって思い知らされる。「インテリ」の復帰拒否とは、その前年に「国政参加拒否闘争」を取り組み、それまでの国家—国民化に夢を託した精神の呪縛を解き放つ転轍手となった「反復帰/反国家/非国民/沖縄自立」の思想潮流であることはまちがいないだろう。

沖縄の「インテリ」の〝復帰拒否〟とは、じつは、木下の視力によっては捕捉できない、沖縄の受苦の経験から吹き返してくる転換期の思想の内発であった。「どうしてもとり返しのつかないことを、どうしてもとり返すため」の、〈何か〉を行為遂行した〈それ〉の思想化であった。〈それ〉とはまさしく「復帰運動」の〝擬制の自己〟を叱った自立への創発でもあった。『沖縄』を発表した八年後に木下が聴いた「復帰拒否の声」は、「沖縄の祖国復帰＝日本の民族独立」の等式を切断する、秀が「原罪」の綱を切り、自らも裁いたように。自己否定を通した沖縄の自立というディメンションは、一九七〇年前後の波うつ時代においてよく生きられた。

「相交わる円」と「極限弁証法」からの問い

谷川雁の「無《プラズマ》の造型――私の差別『原論』」は、兄健一の編集で一九七〇年に刊行された叢書『わが沖縄』第一巻「わが沖縄」に再録されたことは先に紹介したとおりである。その理由を健一は「差別への原理的考察からする一種の沖縄論」と考えたからであるとコメントしていたが、沖縄について直接的に論及されているわけではなく、わずかに谷川の故郷である熊本の水俣で、河っぷちの低地に住む朝鮮人の家族や天草人、洋妾《らしやめん》出身や種子島のキリシタンや活動弁士などの〈異族〉のひとつとして、かなり昔に北上して海辺の集落に定着した「髪の毛が縮れていて、奇怪な単語――沖縄方言を祖型とする――をしゃべる」糸満漁夫についてひと言触れているだけである。

にもかかわらず「沖縄論」としたのは、沖縄がくぐろうとしている問題の核心まで降りていく〈原理〉の深度によるものと思える。喩を凝集させる切断と飛躍が痛いほどの原理を露光させ、「沖縄論」の定型をゆさぶり根源的に思考することへと誘っていく、そんな力の思想といえばいえようか。冒頭のあさぐろい色して幼年の脳味噌をはいまわった「ちいさな蟹」は、そういった意味でも忘れがたい。「ちいさな蟹」とは、谷川の幼年の記憶のなかの〈異族〉たちであり、また指の動きや仄めかしとしてやってくる「差別」の隠喩といえるだろう。この「ちいさな蟹」が示唆しているのは、差別とは「厚い緞帳のようなものではなく、軽い紗のような幾重のすだれ」のようなもので、「冷徹というよりもむしろ煙のようにもうろうたる壁のイメージ」に譬えていた。実体ではなく「蜘蛛の巣のように八方から集まってくる、絹糸よりも細い差別の糸によって編まれた、共通の憎悪の広場」のようなものとしてである。

だが、「満州事変から支那事変へいたる中間という時代」に逆流が生まれ、「差別を拭い去り、ゼロにしようとする平等主義ではなく、差別に対する『反差別』へのかすかな造型意識がつきだされた」として、原理的な考察がなされていく。ゼロにする平等主義ではなく「反差別」への造型意識へ、ここから谷川は独自な喩法と理法の水路を開いていく。

差別はあたかも力である「かのような」力であるとするならば、その「力に対する模倣・翻訳・代入の意識が成立することによって、はじめて外在化されることが可能になる社会的関係である」ということであり、その問題を解く第一歩は意識の関係図としてみることである、ともいう。このひねりと理と喩の縫い目はなかなか容易には理解し難いところではあるが、目を凝らしたいのは、外在化された差別を打倒しようとする「平等主義」や「意識の渦をゼロ」と「無《プラズマ》」を峻別したことである。なぜなら、ゼロとは形式であり、固定化であるのだから。いわば、「意識のゼロ状態は、意識の無《プラズマ》状況とは無限にへだたっている」ということなのだ。

では、「意識の無《プラズマ》状況」とはどのような位相を指していうのだろうか。それは自己否定をともなわないアカデミズムの文法ではけっして及ぶことはない「自由そのものへの恐怖」の領域であり、差別者と被差別者の意識領域がうち重なっている「相交わる円」として結像させていた。その「相交わる円」は、だから、加害者と被害者が分割され、位階化されてはいるが決して交わることはない関係とは異なり、加害者が被害者に、被害者が加害者に代入していく審級の図像化だといえるだろう。「相交わる」ことは加害者と被害者の差が消されゼロになることとはちがう。差異を交換し差異において化学反応を起こすことであり、そのことによって変身を遂げ、主体を新たに組成し直していくことである。「無《プラズマ》」とはそうしたメタモルフォーゼを組織していく〈極〉を帯びた沸点と融点のことでもある、と言い換えてもよいだろう。「存在を食べている無《プラズマ》が主体なのだ」というときの〈存在を食べている〉という表現は、そのようにゼロとは根本的に異なる〈極〉を帯びた沸点と融点において理解されなければならない。無《プラズマ》とはまた「極限弁証法」のことでもあるということなのだ。

平等主義は差別の体制化されたとりでを守る城壁である。では逆手にとられた分離主義がそれにかわるべきか。そうだ。どちらといえば私は分離主義にみられる衝撃的な気分の方を評価する。

しかし差別を制度的に裏がえし、ちいさな「加害共和国」を樹立することが結論となるような分離主義ならば愚劣のきわみである。（中略）それでは差別者の差別形式と瓜二つの範疇でしかない。敵の差別の範疇を越えないかぎり、分離はありえても「反差別」はありえない。その超越は範疇の大小にかかわらない。

この個所は、「差別原論」としての「無《プラズマ》の造型」が「沖縄論」でもあるとした雁の兄健一が叢書『わが沖縄』に収録した隠された理由のように思え、とりわけ興味を抱かせる。ここでいわれている「ちいさな『加害共和国』を樹立することが結論となるような分離主義ならば愚劣」というときの〈愚劣〉さや「差別者の差別形式と瓜二つの範疇」というときの〈瓜二つの範疇〉を批判し、「敵の差別の範疇を越える」というときの〈越える〉ことと「反差別」とは、「極限弁証法」としての〈プラズマ〉と「存在を食べている無《プラズマ》が主体」の造型にかかわることだろう。

この場所こそ、伊礼孝がいう、七〇年代への戸口で沖縄の位置を、抑圧と迫害から逃れてパレスチナの地にユダヤ人国家の建設とそのことによって難民化したパレスチナ人の二つの心情を共有したことの難問と、木下順二が『沖縄』というドラマの原型となった「原罪としての沖縄」や「自己否定をともなった双方の自立」というテーマを呼び寄せることになるにちがいない。だが、谷川雁の「差別原論」と伊礼孝の「反帝国主義ナショナリズム」や木下順二の民族的原罪意識としての「差別論」と同一に論じられるわけではない。木下の「差別論」と谷川の「差別原論」は「差別」を解消していくための分離主義をとらない（谷川の場合はある留保がついているが）にしても、木下が「差別」を解消するために祖国復帰＝民族独立への路線を選んだのに対し、谷川の「プラズマ」はそうした「差別者の差別形式と瓜二つの範疇」を焼き尽くすほどのラディックスを帯電していた。

とはいえ、木下と谷川が出会うことを絶たれたわけではない。では、出会うことはできるのか。できる。どのように？　この問いへの答えは谷川健一が雁の「無《プラズマ》の造型」と木下の「沖縄問題を原罪として考える」という位置づけで収録した「沖縄」を叢書『わが沖縄』第一巻に収録した意図をつかむことにもなるが、それよりも、やはり、「どうしてもとり返しのつかないことを、どうしてもとり返すために」という秀の「絶対に矛盾することば」においてである。これこそ「極限弁証法」そのものであり、「存在を食べている無《プラズマ》」が主体となる場なのだ。綱を切ることによって殺し、自らも死を選んだ秀の行為は、どのような〈その後〉の時間を生きいたのだろうか。

綱を切ることによって殺し、自らも死を選んだ秀の自裁によって拓かれた沖縄の自立を転形期の沖縄に刻んだのは、〈反復帰〉という名の思想であった。木下自身にショックを与えたこの〈反〉と〈否〉の思想は、木下順二に抗して木下順二を読むことを可能にした、いや、戯曲『沖縄』に抗して秀の「極限弁証法」を生きた。一九七二年五月の「復帰」によって制度的敷居がとれた〈その後〉の時間に思いを馳せるとき、「差別原論」が「沖縄論」となり、「沖縄論」が「自立論」となる、そのメタモルフォーゼにおいてこそ〈プラズマ〉は造型されているのかもしれない、と思う。

ふたたびみたび問い直そう。「どうしてもとり返しのつかないことを、どうしても取り返すため」の〈何か〉とは、〈それ〉とは、と。そして「無《プラズマ》の造型」の末尾に置かれた「個体から一挙に気体になり、液体の領域から跳躍する超越的な感じがあればたくさんじゃないか」といった、沸点と融点の

〈極〉としての〈それ〉を。さらに伊礼孝が七〇年代のとば口で思いを馳せたイスラエル国家の建設によって土地を失ったパレスチナの難民を。〝グラウンド・バス〟と〝プラズマ〟と〝難民〟が出会い直すとき――舟を漕ぎ出すには遅くはない。一九七二年から五〇年目の鈍色の夕暮れ、浅黒い色をした「ちいさな蟹」が脳味噌を這い回る、国ならぬ残影の邦へ。

あとがき――《地図にない邦》への旅のために

五〇年以上前のことだった。中学や高校の地理の時間に「サイゴン」や「ハノイ」、「北京」や「ピョンヤン」や「ソウル」、「マニラ」や「ジャカルタ」などのアジアの国々の首都とともに、日本の首都として覚えさせられた「東京」、その「東京」にアメリカ統治下のオキナワからなんの予備知識もなく迷い込んだ。胸の内ポケットにはＵＳＣＡＲ（琉球列島米国民政府）発行の茶褐色のパスポートがしまいこまれ、携帯した荷物といえば、米軍払い下げの野戦用ナップサックひとつ。ヤマト留学といっていた。いま思えばまるで外人部隊のように、という修辞を与えてやりたい時代がかった出で立ちだった。ヴェトナム戦争にアメリカが本格的に介入しはじめ、「太平洋の要石」としての沖縄のむき出しでミリタリーグリーンな風景とはまるで違って、はじめての首都は灰色にくすんで見えた。

そのくすんだ風景をかき乱すように、同世代のニューレフトたちが聞きなれない言葉を発しはじめていた。自己否定や大学解体、日帝打倒や世界革命、そして七〇年安保やヴェトナム反戦、三里塚や佐世保とともに〈沖縄〉の名が叫ばればはじめていた。解放や奪還や返還などに抱き合わされた〈沖縄〉は、外人部隊に似た〈われ―われ〉のように、どこか座りの悪さを感じているように思えた。首都のくすんだ風景に流れ込んできた亜熱帯の気圧が戸惑い、ぐずつくように、である。

そんな内部から何かが大きく動き、声を上げ、うねっていこうとしていた六〇年代後半の政治の季節に、留学や集団就職の違いはあっても、境界を越え、海を渡ってきた一〇代後半から二〇代初めの〝出沖縄〟たちは、ほどなくして二重の意味での軋みを自覚するようになっていた。二重の軋みとは何か？　ひとつは、復帰運動を担った戦前・戦中世代が情熱をもって語っていた「祖国」や「日本」が虚妄でしかなかったことからくる痛覚と剝離感である。いまひとつは、「首都」の叛乱のなかでオクターブの高い声で速射される多くの沖縄観（論）のなかには、〈沖縄〉が不在であることに気づきはじめたことからくる異和と疎隔感である。

やがて心の目の向きは、後にしてきたばかりの〈南〉を大きく振り返るようになった。海を抱き、波に洗われ、潮風にまぶされ、国家の都合によって境界を書き換えられ、いくたびかの世替わりを経てきた島々の群れの経験の深部に秘められているであろう、未だ生まれ出ることのない言葉と地図にない邦への旅がはじまるのは、それからである。

沖縄の復帰運動の幻想と日本のカウンターナラティヴの熱気のなかから吐き出された沖縄像に抱いた痛覚や異和や疎隔感は、胸の内ポケットにしまわれたUSCAR発行の渡航証明書のなかの肖像や入管検査で押された、どの国を出てどの国に入るかを宙吊りしたようなスタンプを見つめ直すことにもなった。そこには紛れもない例外状態を決定するシーニュが刻印されていた。このことはアメリカのヘゲモニーのもとに差配された、沖縄をめぐるイデオロギー装置の相補性について考えていくきっかけにもなった。日本に帰一する復帰運動に内面化された自己植民地主義と、サンフランシスコ条約体制で沖縄をアメリカの例外域に捨て置くことを出自にした日本の戦後国体のなかの〈旧〉と〈新〉

の双面、その双面から繰り出される解放や奪還や返還に装置化された国民主義と「本土」中心主義、その二つのあらわれは実のところ、違うようでいて相互に共犯し合う関係にあった、ということである。

沖縄戦後世代の精神史は、こうしたアメリカと沖縄、沖縄と日本の、〈旧〉と〈新〉のいずれにも囲い込まれない異和や疎外感を自律的に転生させていくところからはじめなければならなかった。沖縄を離れることによって逆に沖縄につかまれる逆説的な場での発見と創発、そういうことができるだろう。移動によって、見い出され、翻訳される〈沖縄〉は、懐かしさは帯びるにしてもアルカイックに退行した、閉ざされて〝ある〟場ではない。未知へ赴いていく行為遂行によって想像され、創造されることにおいて〝なる〟として到来してくるものである。

敗戦後に生まれた沖縄の戦後世代の独自性は、アメリカの排他的占領下に生まれ育ち、基地と軍隊としての〈アメリカ〉と出会ったこと、その〈アメリカ〉からの脱出を日本復帰に求めた同化イデオロギーを少年少女期に注入されたこと、そして一九七二年の「返還＝復帰」を前後する世替わりの渦中を、一〇代後半から二〇代初めにかけてくぐったことにあった。それゆえに、注入された復帰イデオロギーを自己解体的に超克することやアメリカの覇権に日本が従属するかたちの共犯の構造に目を向けざるをえなかった。もちろん濃淡の差や地域的バイアスがあるにしても、その絡み合う複雑な網目と力学から逃れられるわけではなかった。奪還や解放や返還や復帰と抱き合わされ、国家と国民と領土化に囲い込まれない〝まつろわぬ沖縄〟をいかに脱出させ、立って歩かせることができるのか、そのための迷いや葛藤、抗いや転身において沖縄戦後世代の精神と生存の思想地図が描き出されていくだろう。

本書は、そうした沖縄の戦後世代のレゾンレートルを探訪する試みである。季刊『未来』の二〇二〇年冬号から二二年春号まで《残余の夢、夢の回流》の題で、二年にわたり一〇回連載されたものに、沖縄の季刊誌『脈』に発表した二本を加えてまとめたものである。一冊にまとめるにあたっては連載時に字数の制約で割愛したところや論及が及ばなかった個所などは加筆、補強した。書名も《沖縄戦後世代の精神史》に変えた。変えたのは、連載以外の二本の論考を加えたこともあったが、通奏している問題意識をより明確に読み取った西谷能英さんの提案によるところが大きい。

では、本書の基調低音となっているライトモチーフとはなんだろう？　ここでは四点挙げておきたい。ひとつは、沖縄の戦後史の、もっといえば沖縄の近現代の〈自我〉と精神現象を染め上げ、戦後も形を変えて再生され、沖縄の戦後世代へ情熱をもって注入していった「日本復帰」運動への批判的問い直しである。いわば、国家幻想と国民主義の限界を内側から越えていく問題意識となった。二つめは、その内在的批判を通して発見し、組成されていく〈沖縄とは〉〈沖縄的なるものとは〉何かという主体化の問題と自立の思想的根拠を見極めていくことである。主体をめぐる問題はそのアポリアへ目を向け、内部生命となった〈沖縄〉を構成的力能へとモンタージュしていく関心へと赴かせていった。三つめは、〈復帰〉とは、〈沖縄〉とは、〈自立〉とは何かの批判的対象化が、一九六〇年代の後半から七〇代初めにかけての叛乱の季節の只中で、「転形期の時代精神」として刻印されたこと、しかも沖縄から離れた移動と流離の経験において創発されていったことである。それまでの沖縄を語る通念では見えてこない、いわば日本にあって〈在〉を生きることと結社の思想に分け入っていく試みに繋がっていた。四つめは、政治や思想から文学や音楽、写真や映画までの領域を横断することによって、沖縄の戦後世代がくぐった「転形期」と精神の「自己刷新」の動態を解き明かしていくことを要請された。言い換えると、認識論的切断と喩法的転位の結び目に対する不断の注目への促しとなっていった。

こうした四点に要約してはいるものの、ここからさらに、連累、例外状態の生、包摂と排除、風景への叛乱、民族と階級、国境と国家、国家とことば、戦争責任と戦後責任、脱出と帰還、まなざしと名前をめぐる政治、自己否定と解放などの問題系が呼び入れられ、重合し交差するところに、沖縄の戦後と生存のレゾンレートルを多重露光し、その潜像と残像を木霊させていくことにもなった。そのことがまた《残余の夢》と《夢の回流》にもなっているはずである。

ところで、この作業過程を通して妙なる思いにさせられたことを白状しなければならないだろう。それというのは、措定されたテーマを対象化し、論及したり批評したりしてまとめて閉じていくということよりも、いや、論じ評すること自体が新たな問いを開き、その問いをリレーしていく、まさに未完を生きるような旅する経験になっているということであった。この集積はその旅を通して沖縄の戦後世代の異和や疎隔感、捩じれや軋みに分け入り、蜂起していく声とまなざしの軌跡にして奇跡を探訪していくラディックスにもなっていくことにもなるだろう。取り上げた面々は、いってみれば、論じる対象としてではなく、共に旅をする旅びとということになる。

第Ⅰ部の「旅する〈沖縄〉、残影のチジュヤー」で、旅を共にしたのは、中屋幸吉、友利雅人、松島朝義、佐渡山豊、島尾伸三である。第Ⅱ部の「地図にない〈邦〉へのジントーヨー」では、真久田正、上間常道、金城朝夫、仲宗根勇、川田洋、NDU、伊礼孝、木下順二、谷川雁が旅びとになった。見ての通り、「団塊」と呼ばれた戦後生まれが中心になっているが、戦前や戦中世代も入っていることからして、《沖縄戦後世代の精神史》という名づけが、必ずしもふさわしいとは言いがたい。しかし、領域を横断し多重露光しながら未完をリレーしていく試みということからすれば、けっして的を外しているわけではないだろう。

これらの旅の記録にもしも緯度と経度があり、その緯度と経度の出会いをあらためてたしかめ直すとすれば、アメリカと沖縄、日本と沖縄の〈あいだ〉で悪戦する〝わが沖縄〟と〝わが解体〟の行為遂行であり、その絡み、重なり合いだといえるはずである。思えば私は、脱出と帰還の原景と信じた場所を、見る角度や高さを変えながら接近していくことを、あてもなく、あきもせず繰り返してきたような気がする。その反復とあてどのなさに我ながら呆れかえることも二度や三度のことではなかった。同義反復に堕すようにみえたり、時にサンチョ・パンサのスノッブへ誘うことがあったにちがいない。事実その感は否めないところもあるだろう。

それでも、この徒労に似た行為に突き動かしていったのは、一九七〇年を挟む叛乱の季節に紛れ込んだ経験の痛さと残光の眩しさであった。それはまた、独自な視点と方法で創り上げようとした〈在日〉の結社を生きた者同士が傷つき、傷つかせたことの痛覚を伴っていた。裂傷は乾くことなくときおり鮮血を滴り落とす。もしもその雫がこの書を濡らしているようであるならば、望みは叶えられるというものである。

二〇二二年の今年、沖縄が「復帰」という名の再併合から五〇年目にあたる。五〇年前に五〇年かけて辿り着いたということになるのだろうか。あの日のあの時、地図を広げて帰去来にはやる目を落とし、いまにも青い闇に飲み込まれそうな儚い点のような島々に呆然としたことがある。この小さな点在にもみくちゃにされ、振り回されている自分が滑稽で、哀れにさえ思えた。だが、大国の覇権に踏み荒らされ、いくたびも国境線を引き直され、国家の力が重ね書きされてきた極東のキーストーンとしてのこの島々には、沖縄駐留米軍が所蔵する全火薬量にも匹敵するエネルギーと現代世界を解き明かす〝核〟が眠っているという檄に促され、転形期の熱と渦のなかに漕ぎ出していった〝わが沖縄〟への〝わが解体〟による迷い旅でもあった、と思う。

米軍払い下げのナップサックひとつ背負いくすんだ首都の灰色の風景に降り立った、私のなかの残影の外人部隊。〈南〉を振り返り、地図にない幻の邦への旅をはじめてから歳月は確実に老いの岸辺を洗うまでに重ねてしまった。あれから五〇年、世紀の半分である。辿り着いたこの場所をどう名付ければよいのだろうか？　そう自問すると、名付けようもないし、名付けるまでもないだろうという死者たちの諫める声がどこからともなく返ってくる。ただ《鮮明なる未来像は背後からやってくる》という箴言とともに過去と未来の〈あいだ〉にこのつましいコンメンタールを送り出すだけでじゅうぶんではないか、そう告げているようにも思えた。一九七二年という世替わりをめぐる精神と思想のミクロ政治は、一九七二年から、一九七二年への、脱出と帰還をめぐる航海記でもあった。

沖縄戦後世代の精神史を書く／書かれる関係を逸脱して、ときにぶつかり、ときに共振した四人を除いてほとんどは鬼籍の人となった。まずはこの旅の記憶と記録を共にした〝友〟たちへのオマージュとしたい。そして一滴の血の雫と終わりを始まりに開いた傷口からバトンを受け取るポスト「復帰」の、だが、終わらない例外状態の難問へ、来たるべき言葉へと漕ぎ出していく影の言語となれば、このログブックの任は果たせたことになるだろう。

「日本復帰」という名の再併合五〇年目の秋に

著者

二〇二二年十一月

●著者略歴
仲里 効（なかざと・いさお）
1947年、沖縄南大東島生まれ。法政大学卒。批評家。
1995年に雑誌「EDGE」（APO）創刊に加わり、編集長。現在、「越境広場」編集委員。
主な著書に『遊撃とボーダー』（未來社、2020年）『眼は巡歴する』（未來社、2015年）、『悲しき亜言語帯』（未來社、2012年）、『フォトネシア』（未來社、2009年）、『オキナワ、イメージの縁（エッジ）』（未來社、2007年）、『ラウンド・ボーダー』（APO、2002年）
編著・共著に『琉球共和国憲法の喚起力』（未來社、2022年）、『沖縄思想のラディックス』（未來社、2017年）、『琉球共和社会憲法の潜勢力』（未來社、2014年）、『沖縄／暴力論』（未來社、2008年）、『沖縄の記憶／日本の歴史』（未來社、2002年）、『複数の沖縄』（西成彦・原毅彦編／人文書院、2003年）、『沖縄問題とは何か』（弦書房、2008年）、『沖縄映画論』（四方田犬彦・大嶺沙和編、作品社、2008年）などのほか、『沖縄写真家シリーズ』（全九巻、倉石信乃と共同監修、未來社）がある。
映像関係では『嘉手苅林昌　唄と語り』（1994年）共同企画、『夢幻琉球・つるヘンリー』（高嶺剛監督、1998年）共同脚本、2003年山形国際ドキュメンタリー映画祭沖縄特集「琉球電影烈伝」コーディネーター。

沖縄戦後世代の精神史

二〇二二年十一月三十日　初版第一刷発行

定価……………………本体二八〇〇円＋税
著者……………………仲里効
発行所…………………株式会社　未來社
東京都世田谷区船橋一—一八—九
振替〇〇一七〇—三—八七三八五
電話　(03)6432-6281
http://www.miraisha.co.jp/
info@miraisha.co.jp
発行者…………………西谷能英
印刷・製本……………萩原印刷

ISBN978-4-624-01200-7 C0010

（消費税別）

仲宗根勇・仲里効編

琉球共和国憲法の喚起力

「復帰」とは、沖縄の人々にとって何であり、どのような経験だったのか？　長く刊行が待たれていた仲宗根憲法案をめぐる検討と探究の書。沖縄の戦後思想の到達点。

二八〇〇円

川満信一・仲里効編

琉球共和社会憲法の潜勢力

〔群島・アジア・越境の思想〕一九八一年に発表された川満信一氏の「琉球共和社会憲法C私(試)案」をめぐって、琉球内外12人の論客が「川満憲法」の現代性と可能性を問いなおす。

二六〇〇円

仲宗根勇・仲里効編

沖縄思想のラディックス

米軍基地問題で緊迫する沖縄の政治情勢のなかで、現代沖縄の代表的論客たちが沖縄の歴史、政治、思想を縦貫する沖縄論を展開する。理論と実践のためのオキナワン・プログラム。

二二〇〇円

仲里効著

遊撃とボーダー

〔沖縄・まつろわぬ群島の思想的地峡〕日本「復帰」以前の沖縄を出自として首都東京での在日沖縄人運動を独自の立場から闘ったアグレッシヴな論客が切り拓く沖縄の思考の現在。

三五〇〇円

仲里効著

眼は巡歴する

〔沖縄とまなざしのポリティーク〕東松照明をはじめとする沖縄映像論集。『フォトネシア』につづき、沖縄屈指の批評家があらためて琉球における写真と映像の本質を問う。

二八〇〇円

仲里効著

悲しき亜言語帯

〔沖縄・交差する植民地主義〕沖縄の言説シーンにひそむ言語植民地状態をあぶり出す。ウチナーンチュ自身によるポストコロニアルな沖縄文学批評集。

二八〇〇円

仲里効著
フォトネシア
〔眼の回帰線・沖縄〕比嘉康雄、比嘉豊光、平敷兼七、平良孝七、東松照明、中平卓馬の南島への熱きまなざしを通して、激動の戦後沖縄を問う。沖縄発の本格的写真家論。　二六〇〇円

仲里効著
オキナワ、イメージの縁（エッジ）
森口豁、笠原和夫、大島渚、東陽一、今村昌平、高嶺剛の映像やテキスト等を媒介に、沖縄の戦後的な抵抗のありようを鮮やかに描き出す〈反復帰〉の精神譜。　二二〇〇円

仲宗根勇著
沖縄差別と闘う
〔悠久の自立を求めて〕一九七二年の日本「復帰」をめぐって反復帰論の論者として名を轟かせた著者が、暴力的な沖縄支配に抗して、再びその強力な論理をもって起ち上がる。　一八〇〇円

仲宗根勇著
聞け！オキナワの声
〔闘争現場に立つ元裁判官が辺野古新基地と憲法クーデターを斬る〕辺野古新基地反対の闘いの先頭に立ち、安倍強権政権の沖縄圧殺の企みと憲法クーデター法を理論的に駁撃する。　一七〇〇円

岡本恵徳著
「沖縄」に生きる思想
〔岡本恵徳批評集〕記憶の命脈を再発見する——。近現代沖縄文学研究者にして、運動の現場から発信し続けた思想家の半世紀にわたる思考の軌跡をたどる単行本未収録批評集。　三二〇〇円

知念ウシ著
シランフーナー（知らんふり）の暴力
〔知念ウシ政治発言集〕日米両政府の対沖縄政策・基地対策の無責任さや拙劣さにたいして厳しい批判的論陣を張り、意識的無意識的に同調する日本人の政治性・暴力性を暴き出す。　二二〇〇円